D1227412

CENT ANS DE THÉÂTRE À MONTRÉAL

photographies

Conception, réalisation, recherche et rédaction:

Lorraine Camerlain et **Diane Pavlovic**

Éditions les Cahiers de théâtre **JEU**

Ce catalogue accompagne l'exposition itinérante de photographies théâtrales
CENT ANS DE THÉÂTRE À MONTRÉAL
présentée pour la première fois
à la Maison de la Culture de Notre-Dame-de-Grâce
à Montréal, en mars 1988

Conception, réalisation, recherche et rédaction: Lorraine Camerlain et Diane Pavlovic
Coordination technique et graphisme: Luc Mondou
Édition: Cahiers de théâtre *Jeu* inc.
426, rue Sherbrooke est, Montréal, Québec (Canada) H2L 1J6

La tenue de l'exposition et la publication du catalogue ont été rendues possibles grâce à des subventions du Conseil des arts de la Communauté urbaine de Montréal et du ministère des Affaires culturelles du Québec.

CONSEIL DES ARTS
COMMUNAUTÉ URBAINE DE MONTRÉAL

Typographie: Zibra inc.
Impression: Imprimerie Gagné

Dépôts légaux: Bibliothèque nationale du Canada/Bibliothèque nationale du Québec
1er trimestre 1988

ISBN 2-920999-00-1

Couverture: *Macbeth*, Théâtre de la Manufacture. Photo: Anne de Guise.

SOMMAIRE

REMERCIEMENTS

Nous voulons en tout premier lieu remercier les photographes dont les oeuvres figurent dans l'exposition et le catalogue: Gilles Amyot, Mario Beaudet, Roger Bédard, Michel Brais, Mirko Buzolitch, R. Carrière, Camille Casavant, André Cornellier, René de Carufel, Anne de Guise, Gilberto de Nobile, Pierre Desjardins, Yves Dubé, Guy Dubois, Gilbert Duclos, Robert Etcheverry, Hubert Fielden, Michel Fournier, Francisco, Siegfried Gagnon, E. Lactance Giroux, Stan Jolicoeur, Daniel Kieffer, Martin L'Abbé, Robert Laliberté, André LeCoz, Marce, Charles Meunier, Pierre Moretti, Ernesto Mortorello, André Panneton, Henri Paul, le père Laurier Péloquin, Jacques Perron, Davide Peterle, François Renaud, Paul-Émile Rioux, Robert, Denis Romanoff, Reynald Rompré, Pierre Sawaya, Jean-Guy Thibodeau, Richard Tougas, François Truchon, Luc Vallières, John Wassilco et Basil Zarov, de même que ceux qui ont collaboré à la reproduction d'anciennes photos: Guy Dubois, Marc Laberge, Serge Laurin et André LeCoz.

Merci également à Françoise Berd, au père Roger Bessette, à Ferdinand F. Biondi, Elzire Giroux, Jean Grimaldi, Jean-Paul Kingsley, Michel Legault, Monique Lepage, Estelle Piquette-Gareau et Janine Sutto, qui nous ont autorisé à reproduire les photos des différentes collections présentées ici, et à tous ceux et celles qui en ont permis l'identification, en particulier à Solange Lévesque.

Cet ouvrage doit énormément à la gentillesse de ceux qui nous ont aidé à rassembler des documents iconographiques: Christian Beaulieu, Pierre Bernard, Marie-France Bruyère, Clothilde Cardinal, Pascale Correia, Danièle de Fontenay, Gérard Duval, Annie Gascon, Christian Girard, Carmen Jolin, Suzanne Lantagne, Monique Lapointe, Jean-Marc Larrue, Jean-Denis Leduc, Isabelle Marcil, Élaine Messaoud, Nicole Montgrain, Dennis O'Sullivan, Anne-Marie Provencher, Sylvie Provencher, Micheline Roberge, Martyne Robertson, Daniel Simard et André Tardif, et à l'attention chaleureuse des personnes qui ont soutenu notre projet auprès des organismes subventionneurs: Francine Bernier, Denise Lachance et France Malouin.

Nous tenons enfin à adresser notre plus vive reconnaissance à Luc Mondou, notre graphiste, ainsi qu'à Pierre Lavoie et Michèle Vincelette pour leur soutien amical et pour la complicité qu'ils ont su nous témoigner tout au long de notre travail.

PRÉSENTATION

Si le théâtre québécois a toujours accordé une place privilégiée à l'acteur, il s'est de plus en plus ouvert, au fil des années, aux autres aspects de la pratique et de la représentation. À l'affût de son évolution, les photographes ont su retenir, en noir et blanc, toutes les couleurs de la scène montréalaise. Dans une perspective à la fois artistique et historique, nous avons voulu réaliser une exposition et un catalogue qui puissent en même temps révéler les enjeux de la photographie de scène et l'oeuvre des artisans de notre théâtre, et esquisser certains courants de l'expression théâtrale québécoise.

Ni l'exposition ni le catalogue ne visent à décrire exhaustivement le théâtre qui s'est fait: cent photos, ni même deux cents ne peuvent contenir un si vaste ensemble. Celles que nous avons retenues, par les corrélations qu'elles établissent et les ensembles d'images qu'elles constituent, révèlent la diversité de la production, autant dans les courants esthétiques que dans les types de jeu ou les atmosphères qui ont habité les oeuvres présentées à Montréal depuis un siècle.

Si une motivation historique et esthétique nous a guidées dans l'élaboration de cette exposition comme du catalogue qui la prolonge, un dessein plus politique les a suscités, celui de la création au Québec d'une Bibliothèque-musée des arts du spectacle vivant — dont l'idée a été lancée il y a déjà plusieurs années —, qui permettra non seulement la sauvegarde mais aussi la constitution d'un patrimoine culturel inestimable.

Le catalogue reproduit les cent photographies de l'exposition, numérotées de 1 à 100, et nous en avons ajouté plus d'une centaine, pour que l'image du théâtre que nous avons dégagée puisse poursuivre un peu plus loin — et plus visiblement — certaines des avenues que laissent présager les oeuvres exposées. Les photos propres au catalogue suivent les numéros de l'exposition, auxquels nous avons accolé des lettres, et vont ainsi de la photo 5a à la photo 98b. Quatre photos précèdent dans le catalogue la première oeuvre de l'exposition et sont identifiées par des lettres seulement.

Chacune des treize sections, qu'elle soit d'ordre générique, thématique ou formel, tente de révéler un volet de notre pratique du théâtre, et les textes d'accompagnement visent à parler autant de l'art théâtral que de son inscription particulière dans les images choisies.

L'ensemble des commentaires échappe à l'illusoire objectivité historique; notre intention a été de suivre un certain point de vue sur le théâtre — celui des photographes de scène — et de nous laisser porter aussi par notre propre rêve, plutôt que de nous astreindre à donner des renseignements d'ordre historique que nous aurions dû de toute manière limiter à l'essentiel, qui est toujours trop peu.

La liste des crédits des productions présentée à la fin du catalogue donne, elle, de façon objective, les renseignements dont nous disposons concernant l'histoire des photos et des spectacles qu'elles reproduisent. Les trois index présentés ensuite pallient l'absence de chronologie dans l'ordre de présentation des photos du catalogue, en facilitant le repérage des oeuvres de tel ou tel photographe, des compagnies (des lieux) et des pièces qui y sont représentées.

PHOTOGRAPHIER LE THÉÂTRE

À la jonction du souvenir que l'on peut garder d'une représentation et du spectacle que l'on imagine ou réinvente par la simple suggestion de l'image, la photographie est d'un intérêt capital dans la mémoire et la survie du théâtre; elle fige un moment d'action dont on sent la manifestation et à partir duquel germe le souvenir ou le rêve. De la nouvelle représentation que constitue son immobilité suggestive advient un plaisir spectaculaire la rapprochant de l'objet théâtral, qu'elle trahit, paradoxalement, en le prolongeant et en faisant ainsi entrave à son caractère éphémère.

La photographie de théâtre a d'abord consisté en des portraits d'acteurs et d'actrices vêtus de costumes de scène ou de ville. Qu'importait, puisque la pose était, à elle seule, garante d'une certaine théâtralisation de l'image. Puis la photo s'est déplacée et a gagné la scène, en reproduisant désormais l'action dans son cours. Ainsi, depuis près de cent ans, photographes d'une troupe, d'un lieu ou sans port d'attache, professionnels et amateurs ont colligé, dans les images les plus variées, les multiples facettes de la dramaturgie, du jeu, de la scénographie, et constitué par là d'intéressantes archives. Évidemment, parce que la photo coûte cher, les troupes les moins fortunées ont toujours eu peu de moyens d'investir dans la conservation du patrimoine théâtral. Certaines traces, éparses, subsistent de certaines époques ou de certains mouvements, dans des fonds d'archives — assez rares — ou, le plus souvent, dans des tiroirs fourre-tout, des caisses ou des hangars, chez les artistes qui les conservent comme souvenirs de leur carrière. La mémoire visuelle de notre théâtre souffre en ce sens de quelques lacunes, et le risque est réel de valoriser, par la découverte de certains documents iconographiques, des oeuvres ou des moments qui, sans eux, ne seraient certes pas passés à l'Histoire. Mais cela ne suffit pas à dénier l'importance du document photographique. Ce n'est pas la valeur — morale, esthétique, créatrice — de l'oeuvre qu'elle présente que cerne en premier lieu la photo de scène. Elle révèle d'abord et avant tout une atmosphère, un mouvement, une tension qui englobent toujours beaucoup plus que la simple représentation. Ce qu'elle arrive à retenir de l'humanité du théâtre en fait un objet qui dépasse le document et arrive à susciter chez le spectateur que nous devenons devant elle une réelle émotion.

a
Juliette Béliveau au Théâtre National
Photo: Famous Studio

Devant d'anciens portraits de gens dont nous ignorons tout, nous nous attardons et nous tentons de lire, dans les visages, les attitudes ou les vêtements, une histoire, une vie. Devant la photo superbe d'un paysage ou d'une rue inconnus, nous nous y projetons comme dans le décor d'un rêve. La photographie de scène présente elle aussi personnages et décors, qui nous invitent à refaire une histoire du théâtre et à établir un lien avec son expression actuelle, qui nous est plus familière. Elle a un rôle à jouer dans l'Histoire qui, de tout temps considérée comme ce qui a été, est davantage, de façon indéniable, ce que l'on montre de ce qui a été.

S'ajoutant aux textes, récits, lettres, cahiers de régie, costumes, décors, accessoires, etc., la photographie garde mémoire de ce qu'a été une part de notre culture. La photographie, et l'histoire qu'elle redit, doivent donner au phénomène spectaculaire une ampleur et une résonance qu'il ne pourra jamais prendre si les photos demeurent à tout jamais dans des caisses d'archives ou dans les placards. S'il faut conserver son passé, il faut aussi s'en servir, ne pas le perdre de vue. Depuis plusieurs décennies, le théâtre au Québec est devenu un art majeur, marquant de plus en plus profondément le caractère particulier, sinon unique, de notre collectivité, tant sur la scène nationale qu'internationale. Pourquoi? Le théâtre a ses raisons que, peut-être, la photographie peut révéler...

b
Emma Albani, prima donna, 1915
Photographe inconnu

c
Fred Barry dans *le Roi de Rome*
Photographe inconnu

REVOIR LES CLASSIQUES

d
Les Fourberies de Scapin
Théâtre du Nouveau Monde, 1986
Photo: Robert Etcheverry

Assez peu apprécié à la fin du XIXe siècle, le répertoire classique a toutefois été le premier à être présenté au pays, un peu plus d'un siècle après l'arrivée de Jacques Cartier et des premiers colons en sol canadien. Dès 1646, à Québec, les Cent Associés jouent *le Cid* de Corneille, créé neuf ans plus tôt à Paris. C'est dire que Molière, Racine et Corneille sont contemporains des premiers balbutiements du théâtre francophone «en Canada». En janvier 1694, Mgr de Saint-Vallier, qui jette l'anathème sur la représentation du *Tartuffe* projetée par les Sieurs Frontenac et Mareuil, édicte en sol canadien les arguments mêmes de la censure dont la pièce a fait l'objet au moment de sa création en France trente ans plus tôt. À Montréal, en novembre 1789, quand le Théâtre de Société se voit condamné à son tour par les autorités religieuses, il s'apprête à présenter *le Retour imprévu* de Jean-François Regnard et *les Deux Billets* de Jean-Pierre Claris de Florian. Un siècle plus tard, les impresarios américains, qui engagent des artistes de renom, français ou anglais, inscrivent Montréal à leur itinéraire de tournées. Le public montréalais francophone ou anglophone peut ainsi applaudir les Sarah Bernhardt, Jean Mounet-Sully, Réjane ou

Coquelin. Ces stars du théâtre lui présentent quelques oeuvres classiques, disséminées dans un répertoire contemporain principalement constitué de drames, de vaudevilles et de comédies, allant de *Hernani* de Victor Hugo à *Adrienne Lecouvreur* d'Eugène Scribe ou à *Madame Sans Gêne* de Victorien Sardou. Le public, à l'époque, semble priser davantage les oeuvres contemporaines que les classiques, mais cela n'empêche pas l'Académie de musique, qui accueille Coquelin l'aîné en novembre 1888, d'offrir à son public, à cette occasion, la première pièce de Molière présentée par une troupe française à Montréal: *les Précieuses ridicules*. Au même endroit, en 1894, Jean Mounet-Sully inscrit à son répertoire *Hamlet* de Shakespeare et *Andromaque* de Racine. Un an plus tôt, à sa troisième visite, Coquelin avait joué le *Tartuffe* de Molière. Cette pièce refaisait surface à Montréal pour la première fois depuis sa condamnation en 1694.

Au fil de l'histoire, le répertoire classique gagnera ses lettres de noblesse et deviendra un gage de haute culture pour les clercs qui en feront un objet d'enseignement dans les collèges. Dans la première moitié du XXe siècle, le répertoire classique sera inscrit dans les limites du Beau et du Bon théâtre, s'opposant entre autres à la forme théâtrale plus populaire du burlesque. Il n'est donc pas étonnant de constater que dans les premières années des Compagnons de saint Laurent, dirigés par le père Émile Legault, le répertoire présenté se partage entre Henri Ghéon, leur maître à penser, Molière et Racine. Par la suite, plusieurs compagnies inscriront des oeuvres classiques à leur répertoire. En octobre 1951, sur la scène du Gesù, le rideau se lève sur le spectacle d'ouverture du Théâtre du Nouveau Monde: *l'Avare*, de Molière. En 1964, la Nouvelle Compagnie Théâtrale met à l'affiche sa première pièce: *Iphigénie* de Racine. Après 1970, en plus de constituer un terrain d'investigation privilégié de mises en scène, le répertoire classique fera l'objet d'expérimentations théâtrales diverses ou de réécritures s'inscrivant le plus souvent dans une veine parodique (que l'on songe au *Lear* de Jean-Pierre Ronfard ou au *Cid maghané* de Réjean Ducharme).

Le Québec, à cause de sa jeunesse, s'est toujours cru dégagé du poids de la tradition; les compagnies qui montent des classiques ne manquent jamais de souligner leur relative liberté par rapport aux «grands textes» et, en effet, les premières pièces de Molière que le Théâtre du Nouveau Monde est allé présenter outre-Atlantique ont étonné les Européens par leur fraîcheur, leur vivacité, leur désinvolture. Notre façon de percevoir et de jouer les classiques reste pourtant tributaire d'un héritage culturel qui, d'un dépouillement austère et empreint de gravité à une débauche de rubans et de fioritures, se reconnaît à l'oeil nu. La mise en espace, la coupe des vêtements, le type de jeu et le retour fréquent de certaines situations demeurent, en images, identifiables à ces grandes tragédies atemporelles sur lesquelles flotte une certaine nécessité de beauté, de sobriété, de noblesse: scénographies en hauteur, colonnes grandioses et effets de marbre glacé, éclairages savants, costumes riches misant sur les textures et les drapés. À côté de cette rigueur, nos créateurs se sont permis de jouer au roman de cape et d'épée, de multiplier les effets parodiques, d'exprimer autrement, à travers les figures du roi, du jaloux ou de l'avare, nos propres quêtes et nos propres ridicules. Affublés d'oripeaux, «maghanés» ou détrônés, les héros d'ailleurs et d'autrefois sont ainsi devenus, peu à peu, des archétypes d'ici.

1
Macbeth
Théâtre de la Manufacture, 1978
Photo: Anne de Guise

2
Othello
Théâtre du Nouveau Monde, 1986
Photo: Robert Etcheverry

«hamlet-machine»: la subversion du classique

De la fumée, de lourdes tentures, des fauteuils alignés, un crâne, un geste dramatique, une bouche ouverte sur le cri, le chant ou la déclamation: tout, ici, marque une théâtralité que l'on cite comme un code. De toutes les figures shakespeariennes, celle de Hamlet est souvent considérée comme la plus moderne; elle est la plus utilisée, la plus subvertie, la plus magnifiée. Qu'un auteur est-allemand se la soit appropriée pour commenter les déchirements qui secouent le monde actuel n'a rien d'étonnant, et Heiner Müller, qui récrit beaucoup les classiques, a mis dans son *Hamlet-Machine* toute la cruauté et la désillusion de son époque. Pour la troupe montréalaise qui présente ce texte heurté et morcelé, la subversion est double: le portrait de Müller sur le point de tomber avec son cadre, le *juke box* ramenant le célèbre «être ou ne pas être» à la banalité d'un refrain connu prennent une distance avec Shakespeare autant qu'avec sa réactualisation dans le contexte littéraire allemand. Sans compter qu'on a fait de cet acteur au crâne poli comme celui qu'il manipule l'incarnation d'une autre grande tradition, celle de l'opéra. L'esthétisme, le *classicisme* de cette représentation qui accumule les écarts constituent donc, à eux seuls, un commentaire.

2a
Hamlet-Machine
Carbone 14, 1987
Photo: Yves Dubé

3
Britannicus
Nouvelle Compagnie Théâtrale et Théâtre Français du Centre National des Arts, 1983
Photo: André LeCoz

4
Iphigénie
Nouvelle Compagnie Théâtrale, 1964
Photo: André LeCoz

5
Les Précieuses ridicules
Théâtre du Nouveau Monde, 1976
Photo: André LeCoz

surenchère
Décorés de plumes, de perruques et de dentelles, les personnages moliéresques, ici, sont volontairement ridicules. La surenchère a souvent cet effet parodique: voulant railler la société de consommation abrutie par une pléthore de messages publicitaires, les créateurs de *Ti-Jésus, bonjour*, de la même façon, ont choisi l'excès, l'encombrement, le fouillis, le capharnaüm irrespirable où s'entassent objets et personnages. Ainsi, dans le décor comme dans le costume, l'outrance sert la caricature. À ce trop-plein s'oppose, dans les pièces «sérieuses», un espace vide et nu.

5a
Ti-Jésus, bonjour
Théâtre du Nouveau Monde, 1977
Photo: Charles Meunier

6
Le Légataire universel
Théâtre du Rideau Vert, 1980
Photo: Guy Dubois

7
Le Malade imaginaire
Théâtre Populaire du Québec, 1982
Photo: André LeCoz

8
Le Malade imaginaire
Théâtre du Nouveau Monde, 1956
Photo: Henri Paul

8a
L'Avare
Théâtre du Nouveau Monde, 1951
Photo: Henri Paul

«l'avare» au t.n.m.:
trois moments, trois visages d'harpagon

1951: Dans une relation absolue, Harpagon fait corps avec sa «chère cassette». Dans un décor sobre et dépouillé, un homme noir à tête blanche montre son avarice plutôt que son visage.

1963: Sans perruque, Harpagon révèle un visage nouveau, pathétique. Le jeu des mains et des yeux accentue l'incontournable besoin de posséder: la passion dramatisée. La comédie «sombre dans le drame psychologique», dit-on, et Harpagon fait signe au déchirement des avares balzaciens, à celui d'un Père Grandet.

1985: Retour à la comédie. L'espace n'est plus habité par le seul Harpagon. Le contenu de la cassette prévaut sur ce qu'elle représente. L'Avare est debout, content et curieux, un rien cabotin.

9
L'Avare
Théâtre du Nouveau Monde, 1963
Photo: Henri Paul

9a
L'Avare
Théâtre du Nouveau Monde, 1985
Photo: Robert Etcheverry

9b
Entrée du Théâtre St-Denis, 1942
Photographe inconnu

IMAGES D'UNE DRAMATURGIE

L'émergence, au Québec, d'une dramaturgie nationale se fait lentement; si bien que l'histoire du théâtre ne retient que peu de noms de dramaturges avant le XXe siècle, outre ceux de Joseph Quesnel, Pierre Petitclair, Antoine Gérin-Lajoie, Louis-Honoré Fréchette et Félix-Gabriel Marchand. Quand, en 1898, au Monument National, Elzéar Roy fonde les «Soirées de famille» dans une perspective pédagogique, et qu'en 1900, Julien Daoust inaugure le Théâtre National Français, l'idée d'une dramaturgie locale affleure de façon plus évidente que par le passé. Julien Daoust écrira lui-même certains textes dramatiques, mais l'auteur adaptera le plus souvent, pour la scène, certains romans français. Dans les années 1920 et 1930, le répertoire local oscillera entre les canevas des spectacles burlesques et le genre mélodramatique, dont les textes les plus célèbres furent *Aurore, l'enfant martyre* de Henri Rollin et Léon Petitjean, et les nombreuses pièces écrites par Henry Deyglun. En 1938, le Fridolin de Gratien Gélinas gagnera la scène du Monument National, après un bref séjour sur les ondes de CKAC, et ses *Fridolinades* poseront d'ores et déjà d'importants jalons de notre dramaturgie nationale.

Un homme et son péché, *Aurore, l'enfant martyre*, *Tit-Coq* et les oeuvres qui suivent tracent des portraits emblématiques solidement ancrés dans leur milieu et qui, avec le temps, font figure de classiques: «notre» avare, nos faibles, nos suppliciés, nos *Belles-Soeurs*... Un patrimoine se crée, un pays prend forme au fil des textes, lesquels explorent les thèmes, les lieux, les personnages, les tendances qui règlent la vie québécoise: de la prière à l'invective, du terroir à l'exotisme, de la cuisine au salon. Depuis *la Passion* de Germain Beaulieu, la religion, dans la dramaturgie québécoise, tiendra le même rôle que dans la société. Crucifix, chapelets et statuettes hanteront notre théâtre, et c'est souvent de cet héritage religieux que les générations futures voudront s'affranchir. Des personnages du clergé seront eux-mêmes incarnés sur scène; la confrontation de monseigneur Charbonneau avec Maurice Duplessis deviendra la pièce-fétiche de la compagnie fondée par Jean Duceppe, dont le rôle de Chef témoigne d'un autre aspect de notre théâtre, où les grandes figures de notre histoire politique ont eu la part belle. Même sur le mode parodique, elles ont souvent été appelées à se justifier, comme c'est le cas dans *les Grands Soleils* et dans toute l'oeuvre de Jean-Claude Germain. Le terroir nous aura légué deux personnages opposés et complémentaires: celui de l'habitant et celui du soldat, nouvelle incarnation de l'aventurier.

Après la phase des *Paysanneries*, dont les traces persistent dans l'écriture actuelle, le théâtre d'ici s'est adonné au drame réaliste, parfois inspiré d'histoires vécues, avant de basculer dans l'investigation psychologique puis dans la fantaisie, la parodie, le fantasme, l'imaginaire. Mûre, lucide et consciente d'elle-même, la collectivité québécoise s'est mise à exorciser ses comportements et ses complexes, à se moquer de ses travers et à abandonner sa pudeur. Cette libération accomplie, la prise de parole effectuée, les grandes causes abandonnées, ses préoccupations ont changé. Après avoir cherché à exprimer des espoirs collectifs, la scène québécoise, dotée d'un nouveau souci d'esthétisme, s'est mise à explorer des problèmes individuels, à fouiller les rapports amoureux, à parler de luxe et de confort, et à mettre en relief, dans des textes pétris de littérature, la détresse intime, le malaise privé.

10
Les Paysanneries
1942
Photographe inconnu

premières actrices
En 1898, Eugénie Verteuil débute sa carrière comme jeune première au Théâtre des Variétés, fondé cette même année par Antoine Godeau, Léon Petitjean, Palmieri et Jean-Paul Filion. Elle a quinze ans. Elle, mesdames Blanche de la Sablonnière et Bella Ouellette auront été les trois premières actrices canadiennes à faire carrière dans le milieu du théâtre français à Montréal. À la même époque, de petites filles tiendront des rôles d'enfants, amorçant à leur tour une carrière de comédienne; ainsi, Juliette Béliveau, montée à dix ans sur les planches du Monument National, sera suivie de près par Antoinette et Germaine Giroux.

11
Le Médecin des pauvres
Théâtre Canadien, 1911
Photo: E. Lactance Giroux

11a
Jeanne la maudite
Théâtre Canadien, 1914
Photo: E. Lactance Giroux

12
La Passion
Théâtre Canadien, 1945-1946
Photo: Pierre Sawaya

12a
La Passion de Notre-Seigneur
Compagnons de saint Laurent
Photo: Camille Casavant

12b
Ultraviolet
Opéra-Fête, 1986
Photo: Yves Dubé

12c
Un pays dont la devise est je m'oublie
Théâtre d'Aujourd'hui, 1976
Photo: Daniel Kieffer

12d
À toi, pour toujours, ta Marie-Lou
Théâtre Populaire du Québec, 1983
Photo: André LeCoz

le poids d'une tradition

Au départ survient la dramatisation du récit religieux, illustration respectueuse des codes et de la tradition. Convoquée dans le théâtre plus récent, la tradition judéo-chrétienne a un tout autre poids. Ironiquement superposées, deux grandes figures ayant mené le monde se retrouvent citées à la même table, partageant l'une l'autre un repas faussement fastueux, dérisoire, où le vin/le sang s'associe à l'échec; Hitler et ses nouveaux apôtres n'ont-ils pas littéralement mis ici les pieds dans les plats? La convocation moins stylisée de l'image traditionnelle du crucifié propose une transgression semblable. Le Christ, inconfortablement assis, maigrelet, porte, comme les résidus d'une ancienne certitude, couronne d'épines et pagne blanc. Sans la certitude d'une croix qui fait saigner, le calice est déposé, en attente. La Passion est devenue théâtre, le comédien affleure visiblement derrière le «ressuscité». Dans *À toi, pour toujours, ta Marie-Lou*, un pacte accole les univers inconciliables de Marie-Lou et de Léopold. La mise en scène, qui cherche à intensifier l'accablante particularité des deux mondes, en appelle à son tour du poids de l'héritage judéo-chrétien.

12e
Vers la terre canadienne
Montréal, 1938
Photo: Famous Studio

12f
The Girl in the Golden West
Princess, 1911
Photo: New York Stage

«les anciens canadiens»
À l'époque de *Trente Arpents*, sommet du roman de la terre au Québec, le théâtre connaît lui aussi sa vague agriculturiste. Le décor en bois rond, les images saintes, le réalisme scrupuleux et la bonhomie des «habitants», dans la pièce de Deyglun, répondent à ce qui est devenu l'archétype de la «cabane au Canada». Les tournées américaines du début du siècle avaient habitué les spectateurs montréalais à ce réalisme empreint de folklore. L'image de l'Ouest que colportait New York et l'image du terroir qu'offrait Deyglun allaient d'ailleurs donner lieu à de multiples prolongements, trouvant un écho dans des productions qui leur seraient bien ultérieures. Établi ici depuis les années 1920, Deyglun avait vu l'un de ses compatriotes, Louis Hémon, cristalliser, dans *Maria Chapdelaine*, trois figures typiques de l'imaginaire québécois: l'habitant, le coureur des bois, le riche Américain. Des dizaines d'années plus tard, le mythe de l'aventurier trouve encore des résonances. *Klondyke* réunit l'Ouest de la ruée vers l'or et un Nord non moins fantasmé. Il continue, à sa façon, de parler de l'un de nos vieux rêves: l'Ailleurs.

12g
Klondyke
Théâtre du Nouveau Monde, 1965
Photo: Henri Paul

12h
«Le mariage d'Aurore», *Fridolinons 43*
Monument National, 1943
Photo: Henri Paul

de la cuisine au salon... à la cuisine
Dans un jeu tout naturel d'associations, qui dit terroir québécois pense «cuisine». Lieu privilégié de tout un pan de notre dramaturgie, la cuisine, antre maternel par excellence, constitue le coeur des relations familiales, tout le monde finissant bien par y passer, pour manger ou pour sortir de la maison. De ce fait, la cuisine se propose comme un lieu d'accueil et s'allie à un temps d'arrêt propice à la parole qui germe peu à peu, aux confidences, à l'expression, ou encore à l'insoutenable tension d'un silence prolongé dès que cessent les activités routinières. Lieu banal, sans fioritures, la cuisine est l'occasion de gestes quotidiens qui confinent la révélation de tous les conflits à un certain ancrage réaliste.

Quand, dans notre dramaturgie, la cuisine cède la place au salon, c'est sans doute le signe le plus tangible d'un glissement dans le système des valeurs, la manifestation profonde du péril familial. Le drame familial bourgeois, plus fortement axé sur la relation avec le père, s'inscrira dans le lieu des rendez-vous, dans l'antre des visiteurs, dans un lieu plus froid et ordonné, qui mènera sans détours à l'éclatement verbal du conflit. Il n'y aura plus rien à faire, qu'à parler.

Dans la dramaturgie d'après *les Belles-Soeurs*, la cuisine qui refait surface aura changé d'aspect et de valeur, signifiant désormais l'écrasement et la misère engendrés par un tissu familial asphyxiant.

13
Tit-Coq
Comédie Canadienne (Gesù), 1948
Photo: Henri Paul

14
Aurore, l'enfant martyre
Troupe de Jean Grimaldi, 1949
Photographe inconnu

15
Je suis un criminel
Théâtre Arcade, 1950
Photographe inconnu

16
Escale aux Tropiques
Théâtre Arcade, 1955
Photographe inconnu

16a
Gilles Vachon, incendiaire
Tess Imaginaire, 1987
Photo: Siegfried Gagnon/Denis Romanoff

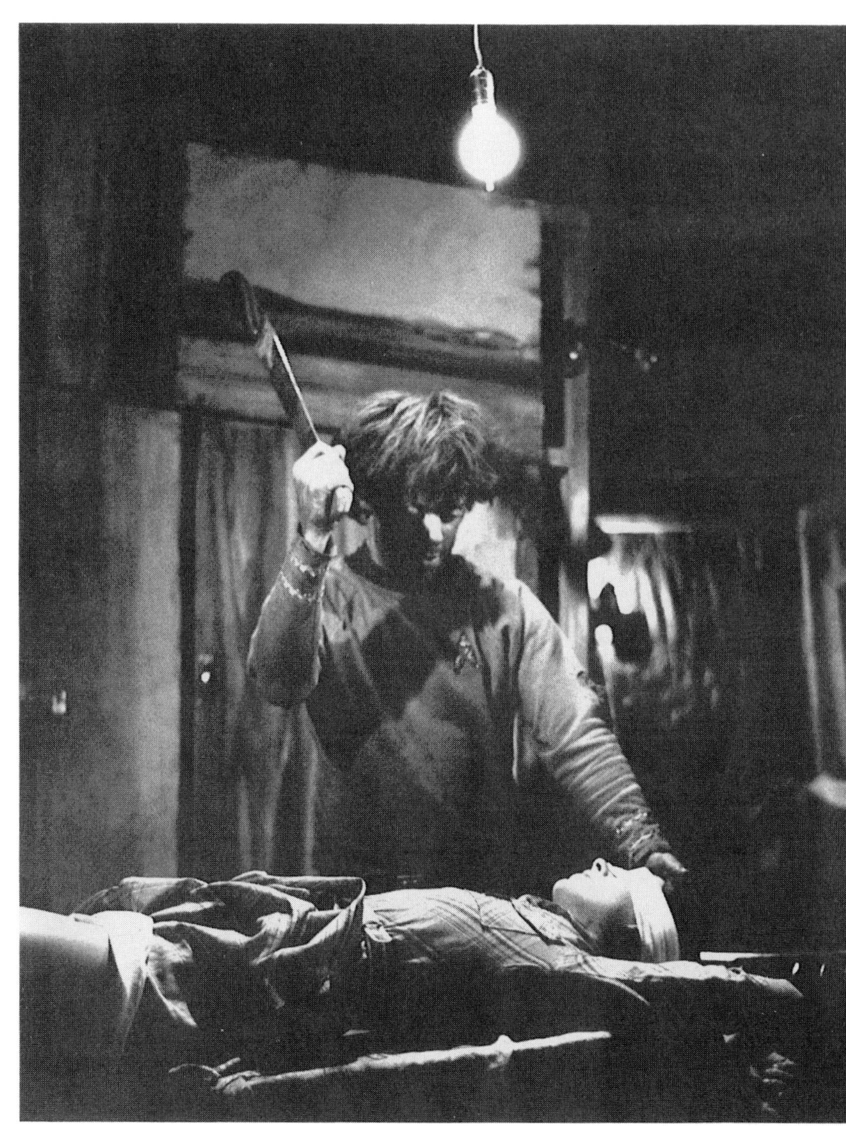

le drame revu et corrigé

Je suis un criminel est adapté d'un fait divers qui allait également, beaucoup plus tard, inspirer *le Crime d'Ovide Plouffe*; *Escale aux Tropiques* reprend le motif du colonisateur battant sauvagement sa proie. Malgré l'exotisme du second texte, les deux semblent respirer le drame à l'état pur, considéré sans distance et sans effet d'ironie. *Gilles Vachon, incendiaire* cite le genre dramatique comme prétexte à clin d'oeil; son exotisme à lui relève d'une autre esthétique, revue et corrigée par le cinéma, la télé et la bande dessinée. L'héroïne ligotée livrée aux mains de son bourreau est un fragment de scénario qu'on imagine aisément inventé par quelqu'un qui serait pétri de séries d'aventures et de films d'horreur. Le meurtre sur scène a changé de visage. Alors que l'on mettait autrefois l'accent sur la situation et sur la tension dramatique qu'elle contenait, on s'attarde maintenant sur la manière, sur l'éclairage, sur les accessoires. Les clichés télévisuels ont eu le temps de s'imprégner en profondeur: c'est la télécommande qui permet désormais de se rebâtir, à volonté, un musée imaginaire.

17
Un simple soldat
Comédie Canadienne, 1967
Photo: André LeCoz

18
Une maison, un jour...
Théâtre du Rideau Vert, 1965
Photo: Guy Dubois

19
Charbonneau et le Chef
Compagnie Jean-Duceppe, 1986
Photo: André Panneton

20
Les Belles-Soeurs
Théâtre du Rideau Vert, 1969
Photo: Guy Dubois

l'influence des «belles-soeurs»
Dès leur création, en 1968, *les Belles-Soeurs* provoquent des remous. Si le «joual» de Michel Tremblay a de vives répercussions sur l'écriture dramatique, l'univers misérabiliste que l'oeuvre met au jour fera lui aussi boule de neige sur le plan esthétique, instituant entre autres une cuisine nouvelle, criante de pauvreté et d'aliénation. Les personnages s'y retrouveront plus écrasés que rassurés par leur quotidien, les plus jeunes manifestant — souvent sans grand espoir de la réaliser — une irréductible envie de s'en sortir. Point de beauté, point de lumière, point de salut: la cuisine s'est refermée comme une souricière sur des relations tenaces mais désuètes, celles d'une famille déconstruite où ne persistent plus que bon nombre de contraintes et de tabous.

20a
Aujourd'hui peut-être
Théâtre de Quat'Sous, 1972
Photo: André Cornellier

21
La Mise à mort dla miss des miss
Enfants de Chénier et Théâtre du Même Nom, 1970
Photo: Daniel Kieffer

22
Les oranges sont vertes
Théâtre du Nouveau Monde, 1972
Photo: André LeCoz

23
Les Grands Soleils
Théâtre du Nouveau Monde, 1968
Photo: André LeCoz

24
La Guerre, yes sir!
Théâtre du Nouveau Monde, 1970
Photo: André LeCoz

25
La Sagouine
Théâtre du Rideau Vert, 1972
Photo: Guy Dubois

femmes d'acadie
Deux portraits de femmes figurent l'histoire d'un peuple. Cousines mais antithétiques, *Évangéline* et *la Sagouine* évoquent une persistance. Silencieuse, posée, inactive, l'Évangéline au regard empreint de tristesse, dans son costume d'époque, a toutes les apparences d'une histoire ancienne. Figée comme une statue, sage comme une image, dans sa mythique jeunesse. De ce siècle, la Sagouine, debout, parle et s'active. Toujours occupée à faire quelque chose, elle exprime la vie qui perdure. Son geste empêche la fixité et si, par son bonnet et son archaïque brouette, elle fait signe au passé, elle se propose comme un nouveau type acadien: une femme vieillie, marquée par l'Histoire, qui n'a toutefois jamais perdu le sens des réalités et pour qui la parole est une richesse absolue.

25a
Évangéline
Photo: E. Lactance Giroux

25b
Le Temps d'une vie
Théâtre d'Aujourd'hui, 1975
Photo: Daniel Kieffer

26
C'était avant la guerre à l'Anse à Gilles
Compagnie Jean-Duceppe, 1981
Photo: André Panneton

27
Vie et mort du Roi Boiteux
Nouveau Théâtre Expérimental, 1981
Photo: Hubert Fielden

27a
Vies privées
Enfants du Paradis, 1981
Photo: Yves Dubé

couples

Le théâtre récent a abandonné la fresque et la tranche d'histoire. Images et paroles mettent désormais en scène un éclatement d'un autre ordre, un désordre intime et intérieur auquel on donne des extensions infinies. Dans leur représentation des rapports amoureux, auteurs et concepteurs gomment volontiers les marques du privé. Les marionnettes hyperréalistes des Enfants du Paradis dansant enlacées dans une arène de lutte disent assez clairement qu'on tente moins de personnaliser des individus que de faire du couple un emblème — le titre du spectacle n'est pas pour rien au pluriel, la généralisation qu'il suppose allant de pair avec la stylisation que laisse voir la photographie. *Je ne t'aime pas* présente des personnages de chair, mais leur environnement, s'il est moins symbolique que celui de *Vies privées*, demeure abstrait, connotatif plutôt que mimétique. Quelques coussins, un cendrier, des verres signalent un type d'existence qu'on n'illustre pas davantage: tout décor a disparu, laissant la place à des corps qui captent la lumière et dont la position brisée, oblique, veut traduire un certain déséquilibre affectif. Se détachant sur fond noir, devenus épures graphiques, ces corps n'ont plus besoin de mots pour être éloquents. Le même jeu savant de lignes, de formes et de zones lumineuses fait de l'image de *Duo pour voix obstinées* un emblème en son genre. Le visage baissé du personnage féminin, ses bras croisés sur elle-même, la pudeur blessée et retenue qui émane de sa posture et la quête un brin protectrice qui se lit dans le regard de l'homme racontent à eux seuls les enjeux de la pièce. Raffiné et dépouillé, le théâtre du lyrisme et de la passion douloureuse n'a plus de rapport direct avec le courant réaliste qui a précédé. Cette plasticité nouvelle englobant les acteurs fait état d'un fantasme bien contemporain: cédant le pas à l'image, exprimer sur un mode allégorique non seulement la brisure qui a obligé le couple à se remettre en question, mais aussi le désarroi des êtres aux prises avec un réel fluctuant, instable et sur lequel ils n'ont plus de prise.

28
Je ne t'aime pas
Médium Médium, 1984
Photo: Robert Etcheverry

28a
Duo pour voix obstinées
Théâtre d'Aujourd'hui, 1985
Photo: Daniel Kieffer

28b
Mère Courage et ses enfants
Théâtre du Nouveau Monde, 1966
Photo: Henri Paul

CRIS

29
Gin Game
Compagnie Jean-Duceppe, 1980
Photo: François Renaud

Dans le cri muet qu'il profère, dans le désarroi de son regard, dans sa rage intense ou dans la souffrance indicible qui se lit sur les traits de son visage, l'acteur fascine. C'est par lui qu'arrivent la chair, la présence, l'émotion et la colère. C'est par son corps et sa voix que s'établissent les degrés et les nuances de la froideur ou de la proximité. Nous avons toujours eu, ici, un rapport privilégié avec nos acteurs, un rapport intense et exclusif fait de désir et d'identification, de respect et de familiarité. Les gros plans de comédiens en pleine action touchent en nous une zone obscure, comme si leur jeu, mis en évidence, effaçait jusqu'à leur identité et nous les livrait non comme des individus mais comme des masques, des sculptures pétrifiant la douleur en une immobilité troublante. La photo fige les expressions, elle en fixe un moment, l'isole et révèle ainsi ce que la scène ne disait pas de la même façon. Le drame est par elle exposé à cru: le décor, l'environnement sont effacés au profit de visages qui envahissent toute l'image, générant dans leur implacable permanence un autre type de mémoire, un discours différent.

30
Mère Courage et ses enfants
Théâtre du Nouveau Monde, 1966
Photo: Henri Paul

31
Albertine, en cinq temps
Théâtre du Rideau Vert et Théâtre Français
du Centre National des Arts, 1984
Photo: Guy Dubois

TEXTES D'AILLEURS

À partir de la fondation du Théâtre Molson en 1825, Montréal accueillera de nombreuses troupes de tournées américaines et des artistes renommés de la scène internationale. Le répertoire fortement contemporain que présenteront les artistes étrangers dans les divers théâtres de la ville façonnera le goût du public, qui sera en outre de plus en plus friand des mélodrames à la mode et des plus récents succès des scènes parisiennes ou new-yorkaises. Dans les années 1920, les troupes produisant des spectacles burlesques (celles de Ti-Zoune père, d'Arthur Pétrie ou de Paul Hébert, entre autres) puiseront au répertoire des canevas déjà existants, calquant et traduisant des sketches américains pour un public majoritairement francophone. Quand, plus tard, certains de nos acteurs (dont Jacques Auger et Antoinette Giroux, dès 1923) iront étudier l'art dramatique à l'étranger, nos scènes s'ouvriront de plus en plus au vaste répertoire international. Jusqu'aux années 1970, où la création québécoise aura gagné en popularité dans une vague d'affirmation de l'identité nationale, au point de prendre le pas sur le répertoire classique ou étranger, les compagnies montréalaises produiront un large éventail de pièces puisées au répertoire international, révélant à leur public des oeuvres d'auteurs anglais, américains ou russes, des textes de l'avant-garde française, ou des boulevards parisiens.

32
Madame Butterfly
His Majesty's, 1910
Photo: E. Lactance Giroux

32a
Elzéar Hamel et Germaine Giroux
Photo: E. Lactance Giroux

32b
La Vengeance d'une orpheline russe
Théâtre du Nouveau Monde, 1963
Photo: Henri Paul

l'outrance des sentiments

Corps renversés et yeux hagards, souffrant de sombres douleurs et en proie à des passions violentes, des générations d'acteurs ont adopté les gestes grandiloquents du mélodrame, genre que le Québec, pendant longtemps, a goûté par-dessus tout, et dont les images rajeunies l'obsèdent encore. Avant qu'*Aurore, l'enfant martyre* ne cristallise l'essence du pathétique québécois, les scènes ont été bercées des plaintes déchirantes de comédiens qui affectionnaient, dans les studios où avaient lieu les séances de photographies, les regards poignants et les moments les plus enfiévrés des oeuvres dans lesquelles ils jouaient. Notre début de siècle fut aussi théâtral, aussi démonstratif et aussi outré que le Paris de 1900, et le mélodrame chez nous a continué à prendre racine, fleurissant parfois sous des jours inattendus, nourri, désormais, par le cinéma et la télévision. Le théâtre récent se sert volontiers de son artificialité, qu'il cite en la raillant, comme on se moque de l'un de nos traits de caractère parmi les plus déterminants.

33
Sarah et le cri de la langouste
Café de la Place, 1986
Photo: André LeCoz

33a
Divine Sarah
Centaur, 1975
Photo: Basil Zarov

sarah bernhardt

En 1880, Sarah Bernhardt visite Montréal pour la première fois. Une foule de curieux se presse à la gare pour accueillir la diva, qui inspire à Louis-Honoré Fréchette une poésie. Pendant trois jours, les 23, 24 et 25 décembre, à l'Académie de musique, Sarah joue *Adrienne Lecouvreur* d'Eugène Scribe — pièce condamnée par l'évêque de Montréal deux jours plus tôt —, *Froufrou* de Henri Meilhac et Ludovic Halévy, *la Dame aux camélias* d'Alexandre Dumas et *Hernani* de Victor Hugo. Entre 1880 et 1916, Sarah Bernhardt viendra huit fois à Montréal, soulevant les passions et essuyant à maintes reprises les représailles du clergé.

33b
Juliette Béliveau en 1915, au Théâtre Chanteclerc
Photographe inconnu

Si l'influence la plus immédiate du passage de Sarah Bernhardt sur la scène montréalaise a été d'attirer au théâtre un public francophone plus élargi, la diva a exercé une fascination particulière, donnant une coloration esthétique à notre perception même de l'actrice et lui conférant une certaine plasticité. Ainsi, le fait que notre première femme de théâtre, Blanche de la Sablonnière, ait rapidement été rebaptisée «la Sarah Bernhardt canadienne» par le poète Louis-Honoré Fréchette et qu'on ait surnommé «la petite Sarah» Juliette Béliveau à ses débuts, laisse entendre que la conception d'une actrice de renom allait de pair, au tournant du siècle, avec l'image de la diva.

Parmi nos grandes dames du théâtre, Denise Pelletier et Françoise Faucher ont incarné sur scène une Sarah Bernhardt jouant cette fois sa propre légende. Convoquée sur *le Titanic* de Jean-Pierre Ronfard, Sarah Bernhardt y a péri au milieu d'une galerie de personnages représentant les grands de ce siècle. Débordant les limites de sa propre représentation, Sarah Bernhardt s'était aussi réincarnée dans le théâtre de Jean-Claude Germain, en une expression parodique, une Sarah Ménard bien de chez nous, aux prises avec une identité québécoise difficile à débroussailler.

33c
Le Titanic
Carbone 14, 1986
Photo: Yves Dubé

33d
Les Hauts et les bas dla vie d'une diva: Sarah Ménard par eux-mêmes
Théâtre d'Aujourd'hui, 1975
Photo: Daniel Kieffer

33e
La Grandeur du geste et des passions
Groupe Le Pool, 1985
Photo: Gilberto de Nobile

33f
Marius
Équipe, 1944
Photo: Henri Paul

Le drame, le mélodrame ont eu ici leurs heures de gloire et leurs prolongements, leurs divas et leurs figures exotiques, enrichis des images que n'a cessé d'évoquer pour nous le répertoire étranger. Sarah Bernhardt, venue nous visiter à quelques reprises à la fin du siècle dernier, hante encore nos scènes. Certaines de nos compagnies semblent s'être spécialisées en des genres précis: il y a à Montréal des lieux consacrés au drame psychologique américain, au boulevard français... Aux époques successives où le His Majesty's accueillait *Madame Butterfly*, où l'Équipe montait *Marius*, où l'Égrégore présentait *Fin de partie* et où *les Sorcières de Salem* occupaient la scène du Théâtre du Nouveau Monde, ces oeuvres étaient encore relativement récentes, comme sont récentes pour nous les pièces de Botho Strauss ou d'auteurs sud-américains présentées par nos groupes d'«avant-garde». À l'affût de ce qui s'écrivait et se jouait ailleurs, les jeunes compagnies qu'étaient à leurs débuts le Théâtre du Rideau Vert ou la Compagnie Jean-Duceppe ont puisé au répertoire international dans un souci analogue d'éclectisme et de curiosité intellectuelle. Les textes français, anglais, américains ou russes ont occupé nos scènes avec leur lot d'images et de questionnements, parfois

33g
Tessa ou la Nymphe au coeur fidèle
Équipe, 1943
Photo: Henri Paul

34
Le Moine
Eskabel, 1985
Photo: Yves Dubé

confinés dans leur exotisme, parfois réappropriés par des créateurs qui projetaient en eux un discours distinct. Avant que n'émerge une parole proprement québécoise, Pagnol a incarné notre esprit gaulois, Beckett a exprimé notre solitude, Anouilh, Camus et Giraudoux nous ont dit leur quête, Steinbeck et Miller nous ont révélé les affinités que nous avions avec nos voisins du Sud autant que les influences que nous en avons subies. Le Québec a eu sa période existentialiste (au cours de laquelle l'Équipe a joué *Huis clos* devant Jean-Paul Sartre) avant de s'adonner lui aussi à la déconstruction, à l'absurde, au post-modernisme. Par la couleur qu'il a donnée à ces textes venus d'ailleurs, il n'en a pas moins établi des constantes bien d'ici. Willy Loman et sa femme Linda assis sur leur perron, dans *la Mort d'un commis voyageur*, reproduisent là un motif profondément québécois, tout comme la fête exotique de *la Quadrature du cercle* trouve son écho dans notre propre exubérance. Le dépouillement que l'on confère ici à certaines oeuvres en transforme le drame, tout comme le transforme la façon même dont nos acteurs les jouent. Tel crucifix, dans *le Malentendu*, répond à notre tradition religieuse, telle prostituée dans *les Paravents* consomme notre amour du travestissement et de la fausse grandeur... *Les Trois Soeurs* nous font signe par-delà leur silence contraint, comme persistance d'un féminin résigné et serré en bloc qui n'est pas loin de notre matriarcat, tandis que *les Sorcières de Salem* en font voir la diversité des visages. *Le Moine* sert à des exorcismes différents, à une expérimentation d'un autre ordre, utilisé à un cérémonial qui en pervertit les enjeux. Dans le drame (*Piège pour un homme seul*, *Something Red*) comme dans la comédie ou le boulevard (*Chat en poche*, *le Ruban*), l'étranger nous a toujours nourris; nous l'avons toujours, de diverses façons, réinterprété.

35
En attendant Godot
Nouvelle Compagnie Théâtrale, 1971
Photo: André LeCoz

36
Fin de partie
Égrégore, 1960
Photographe inconnu

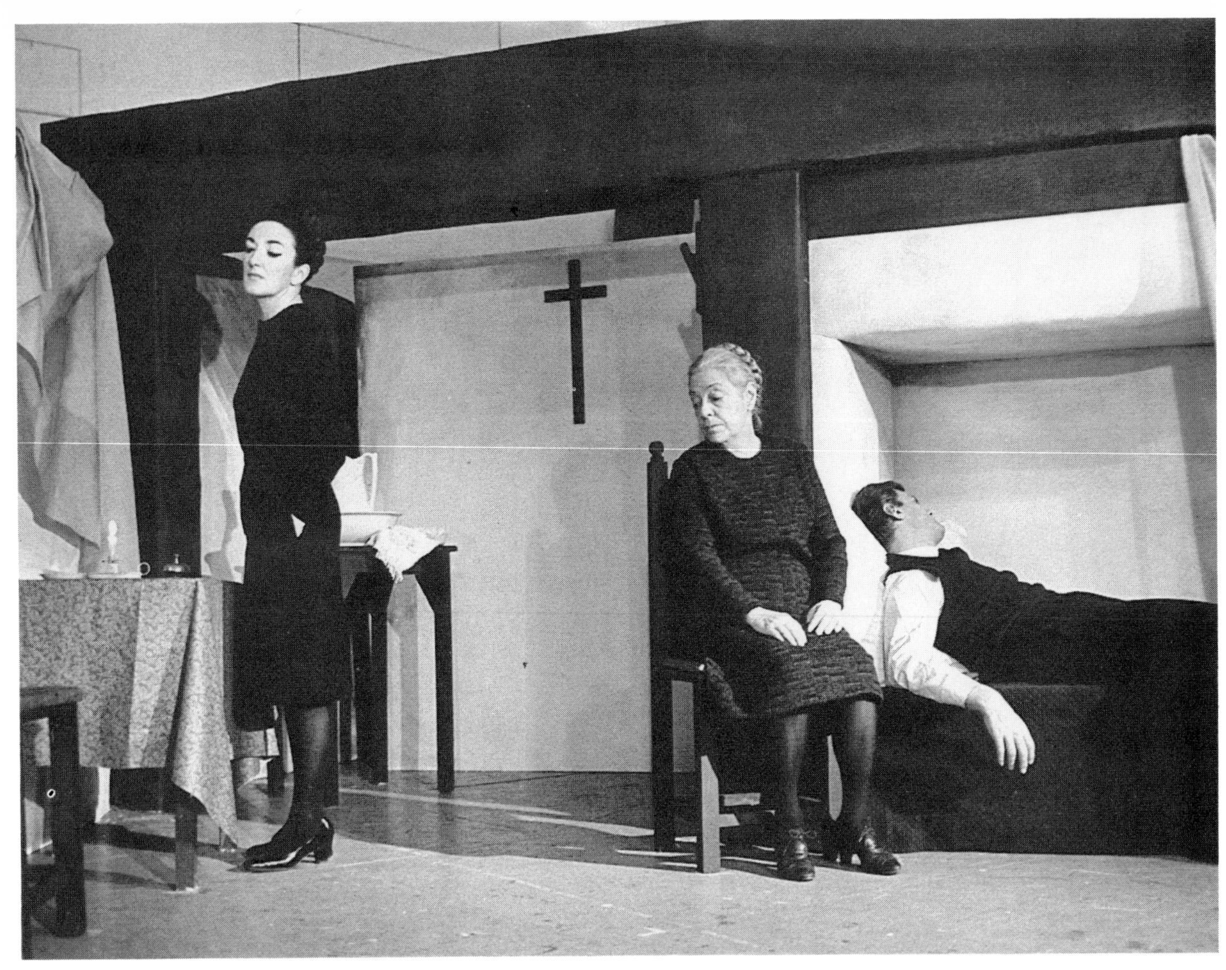

37
Le Malentendu
Théâtre du Rideau Vert, 1967
Photo: André LeCoz

37a
Antigone
Théâtre Populaire du Québec, 1968
Photo: André LeCoz

38
Les Paravents
Théâtre Français du Centre National des Arts
et Théâtre du Nouveau Monde, 1987
Photo: Mirko Buzolitch

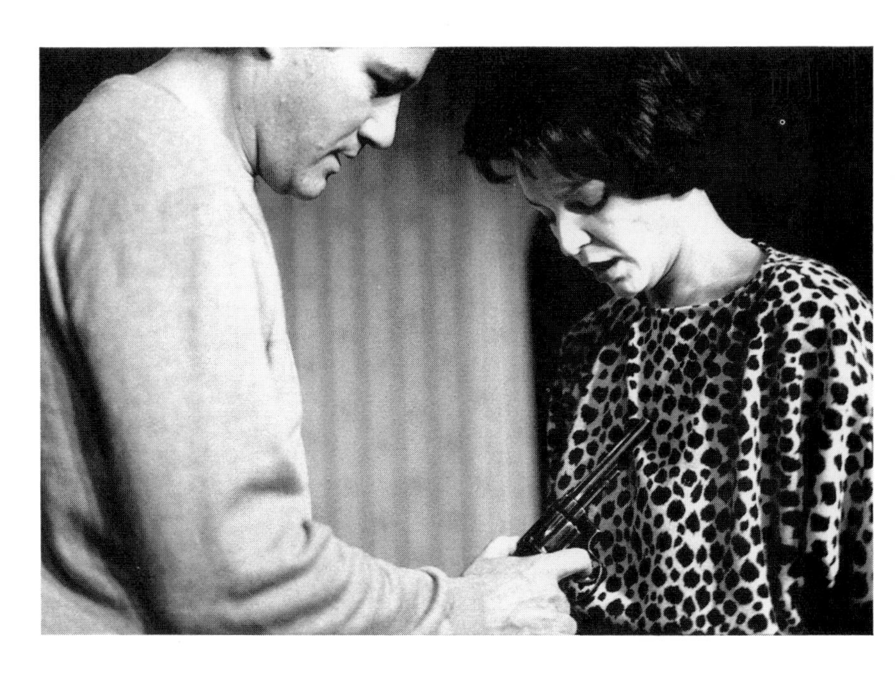

38a
Piège pour un homme seul
Théâtre du Nouveau Monde, 1962
Photo: Henri Paul

38b
Something Red
Théâtre de la Manufacture, 1985
Photo: Mirko Buzolitch

39
Des souris et des hommes
Compagnie Jean-Duceppe, 1987
Photo: François Renaud

39a
La Mort d'un commis voyageur
Compagnie Jean-Duceppe, 1983
Photo: André Panneton

39b
Les Sorcières de Salem
Théâtre du Nouveau Monde, 1966
Photo: Henri Paul

40
Les Trois Soeurs
Théâtre du Rideau Vert, 1966
Photo: Guy Dubois

41
La Quadrature du cercle
Théâtre-Club, 1958
Photo: Marce

boulevard
Mondains et retenus dans leurs costumes «début de siècle», les personnages des boulevards sont identifiables au premier coup d'oeil. Les multiples portes qui flanquent le «salon» bourgeois où ils évoluent présagent d'ores et déjà d'incontournables jeux de cache-cache et d'amusants quiproquos. À l'occasion, au coeur de la comédie légère éclôt le numéro d'acteur, irrésistiblement drôle, derrière lequel affleure le burlesque.

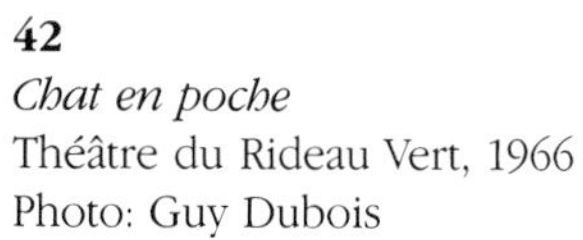

42
Chat en poche
Théâtre du Rideau Vert, 1966
Photo: Guy Dubois

42a
Le Ruban
Théâtre du Rideau Vert et Théâtre Français du Centre National des Arts, 1986
Photo: Guy Dubois

COMÉDIE

Ti-Zoune, la Poune, Fridolin, Olivier Guimond, Juliette Pétrie, Manda Parent, Gilles Latulippe, Denis Drouin, Paul Thériault, Jean Grimaldi... la liste serait longue s'il fallait nommer ici tous ceux qui ont fait rire le public québécois. Que ce soit aux Variétés ou au National, sous les auspices du Théâtre du Rire de Henri Poitras ou à l'une ou l'autre des «Fridolinades» de Gratien Gélinas, les Québécois ont toujours répondu à l'appel du rire et du divertissement, depuis les beaux jours du burlesque jusqu'aux plus récents succès du genre comique, dont le fameux *Broue* du Théâtre des Voyagements. Certes, aux heures difficiles de la crise économique, le public a eu peine à être aussi assidu aux rendez-vous que continuaient de lui fixer les pionniers de la scène comique, mais il ne leur en est pas moins resté fidèle et attaché. Cependant, si le genre comique s'est attiré d'emblée la faveur populaire, il n'a jamais facilement accédé à la reconnaissance institutionnelle et, mis à part certaines comédies légères, ou encore des oeuvres ayant puisé au registre de la parodie, peu de spectacles comiques accèdent à l'histoire de notre théâtre. Le comique a donc en ce sens ses zones claires et obscures.

43
Broue
Voyagements, 1980
Photo: André Panneton

44
Trois heures du matin
Photographe inconnu

45
Trois heures du matin
Photo: Robert

À trois heures du matin, «un gars chaud» rentre à la maison où sa femme l'attend, rouleau à pâte à la main... Le canevas du sketch burlesque est simple et on ne peut plus attendu; mais la situation se prête à la fois aux farces sempiternelles du mari sur «sa grosse femme», et aux acrobaties impressionnantes d'un Olivier Guimond de caoutchouc qui, jouant à corps perdu une ivresse avancée, tombe à la renverse et réussit à conserver sa cigarette à la main et, sur sa tête, le chapeau indispensable à l'accoutrement comique de son temps. Situation cocasse, dialogue fourni en confusions et en jeux de mots de tous ordres, quiproquos, intervention burlesque d'un policier tentant de résoudre un désordre on ne peut plus privé, talent indéniable de comiques chevronnées, tout cela conjugué provoque immanquablement le rire. D'autres procédés assurent la rigolade: un élément fantaisiste ou délirant du costume, un faciès démesurément expressif, un travestissement outrancier et caricatural, ou encore une réaction en chaîne amplifiant une expression qui en devient ainsi surjouée.

quand la crème tourne

Le vieux gag de la tarte à la crème ainsi esthétisé détourne le comique vers une froide ironie. Solitaire, un homme se lance lui-même une tarte à la crème, à la tête plutôt qu'en pleine figure, laissant ainsi mieux voir l'impassibilité de son visage. Geste vide et apparemment déchargé de tout sens, la fameuse scène devient, dans l'absence de tout partenaire, le signal d'un monde retourné sur lui-même; la relation avec autrui n'y a plus de résonance, et le rire n'y trouve plus d'écho. La photo elle-même, en transformant la crème en d'intrigants rayons, participe de la déconstruction d'un monde pourtant familier, dont elle ne retient plus que le caractère clownesque.

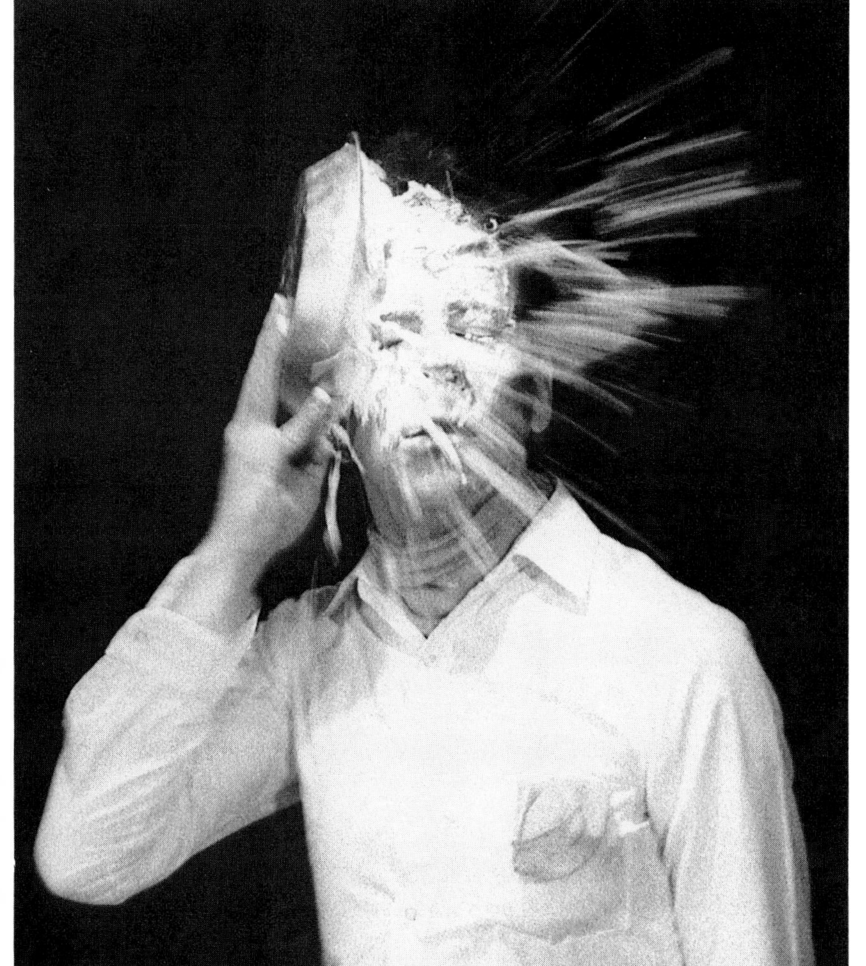

45a
Le Système magistère
Opéra-Fête, 1985
Photo: Yves Dubé

46
La Déprime
Klaxon, 1983
Photo: Jean-Guy Thibodeau

46a
La Californie
Nouveau Théâtre Expérimental, 1984
Photo: Gilbert Duclos

délire et fantaisie

Un homme en habit de ville, assis au terminus, est chaussé de palmes. Un homme habillé en sac pousse un panier à provisions contenant une comédienne déguisée en petit poulet. Dans un sombre tripot, la Reine et Hitler se concentrent sur leur Monopoly, tandis qu'à côté d'eux, le Christ et Krishna jouent aux cartes. Le comique québécois suit volontiers les sentiers de l'imaginaire, alliant fantaisie et délire dans d'irrésistibles assemblages.

46b
Noé
Théâtre du Rideau Vert, 1976
Photo: Guy Dubois

47
Vendredi soir
Productions Théâtre Libre
et Théâtre d'Aujourd'hui, 1978
Photo: Jean-Guy Thibodeau

48
Bain public
Théâtre Petit à Petit, 1986
Photo: Martin L'Abbé

LA GUERRE

Le Québec n'a pas connu directement la guerre, dont il a pourtant beaucoup parlé, comme s'il voulait de la sorte y prendre une part symbolique, s'inclure dans l'Histoire et en enregistrer les soubresauts. Fridolin, tandis que sévissait ailleurs le deuxième conflit mondial, choisissait d'en combattre l'horreur par le rire et la bonne humeur, livrant un message de paix par le biais d'une joyeuse fantaisie. Le théâtre burlesque, encore assez contemporain des événements, poursuit dans la même veine parodique, exhibant machineries et attirails comme on exhibe des accessoires de comédie destinés à dédramatiser une douleur trop proche, à libérer la tension qu'elle a générée. Avec le recul et le souvenir advient le drame: le travail de la guerre sur la mémoire et sur le fantasme fait surgir l'intolérable, creuse l'effet des combats sur les individus qui, de près ou de loin, en sont atteints. Que l'on montre ces images sur un écran ou qu'on en reconstitue des moments traumatiques — deux techniques héritées du cinéma —, la guerre est devenue une construction de l'esprit où s'entrechoquent violence collective et blessure individuelle, brouillard et irréalité, rêve et langueur, où la danse des corps oscille entre l'érotisme et la mort. *Le Rail*, à la lueur vacillante de torches et de phares, sur fond d'ombres mouvantes et d'airs d'opéra, se déployait sur un sol de terre et de tourbe, unissant les corps-à-corps orgueilleux d'hommes qui jouaient aux soldats et la douleur muette de femmes emportées par l'hystérie. La guerre n'a plus eu lieu à des dates précises; elle est devenue l'emblème social d'une lutte pour la survie. Son déroulement sert à retracer l'histoire des comportements des hommes et des femmes: ce dont elle parle, plus que de ses occurrences réelles, c'est de l'éternel désarroi humain.

49
«Le troisième front du rire», *Fridolinons 43*
Monument National, 1943
Photo: Henri Paul

50
«L'assaut», *Sur le champ de bataille*
1948
Photo: Pierre Sawaya

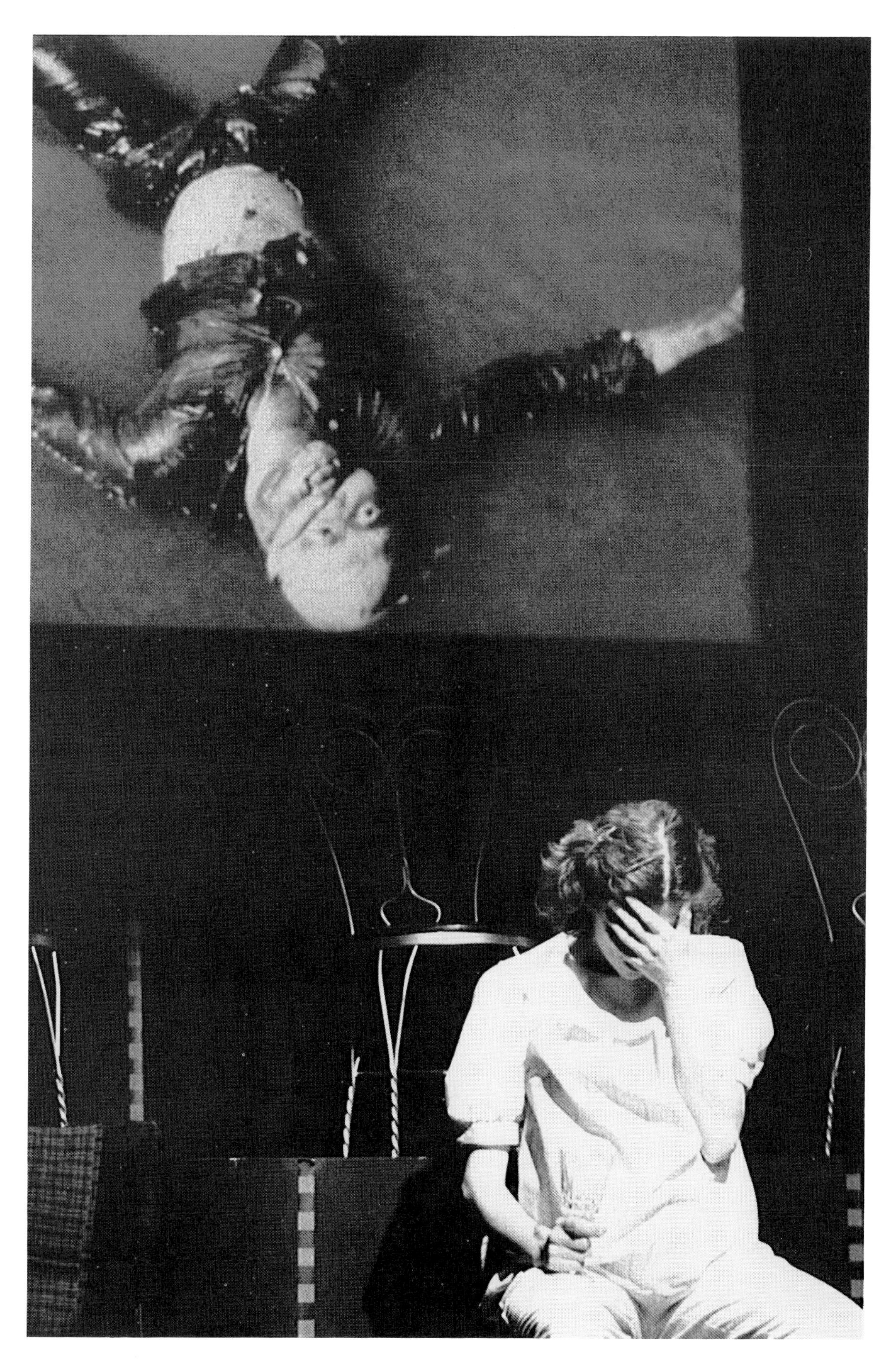

51
Nature morte
Théâtre de Quat'Sous, 1985
Photo: Robert Laliberté

51a
Le Rail
Carbone 14, 1984
Photo: Yves Dubé

51b
La Trilogie des dragons
Théâtre Repère
et Festival de théâtre des Amériques, 1987
Photo: François Truchon

51c
The Girl in the Golden West
Princess, 1911
Photo: New York Stage

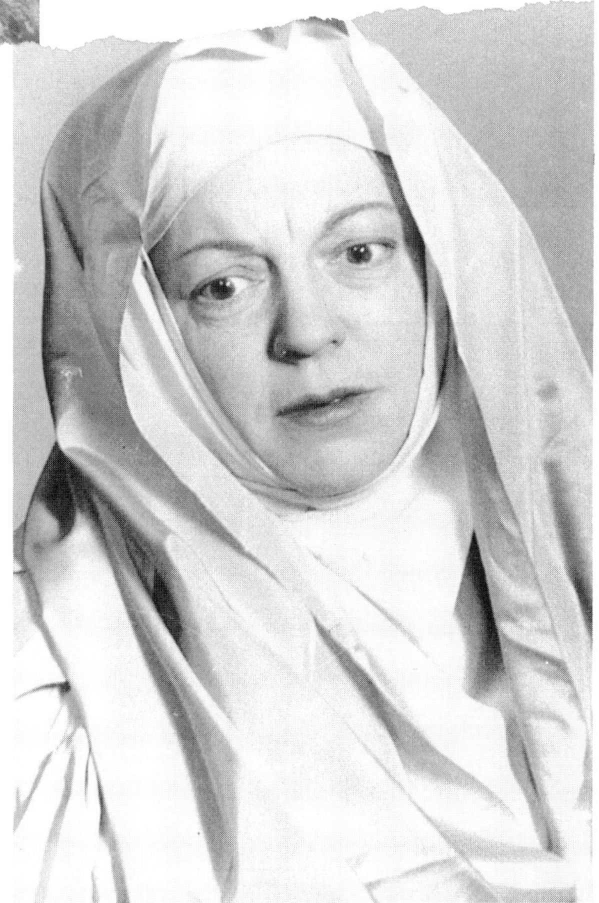

52a
Jésus, Fils de Marie
Photographe inconnu

51d
Gertrude Laframboise, agitatrice
Atelier de la Nouvelle Compagnie Théâtrale
et Centre d'essai des auteurs dramatiques, 1978
Photo: Michel Brais

51e
Orgasme 1: le Jardin
Théâtre Expérimental de Montréal, 1978
Photo: Gilbert Duclos

52c
«Un «bee» de tricot dans le sixième rang»,
Fridolinons 43
Monument National, 1943
Photo: Henri Paul

52d
Beau Monde
Omnibus, 1982
Photo: Pierre Desjardins

où les mains s'affranchissent
Entre ces deux réactivations biaisées de la célèbre «ligne de filles» qui a fait les beaux jours du burlesque québécois, un bond historique criant. Les anciennes filent et papotent, tissent, brodent, bercent et dorlotent, s'occupent à des travaux d'aiguille qui les unissent dans un tableau idyllique, désuet et charmant. La féminité a radicalement changé de visage: mines triomphantes et gestes désinvoltes, les cadettes exercent leurs bras à la dépense gratuite, amusées par l'éclosion d'un ludisme plein d'étonnement, et esquissant un adieu discret, attendri mais décisif, à la belle image d'autrefois.

Pour tenter de mettre en échec les représentations outrancières qui, depuis toujours, n'ont cessé d'accuser les contours d'une féminité stéréotypée, le théâtre des femmes s'engagera de plain-pied dans la voie de la dénonciation, cherchant à explorer des sentiers où puisse éclore un imaginaire féminin rompant avec les figures archétypales de la vierge-mère, de la putain, de la sorcière, de la sacrifiée... Libérés d'un univers réaliste, les personnages féminins créés par des femmes institueront une parole nouvelle, menant la démonstration, la dénonciation et la revendication féministes sur les sentiers du rêve et de l'imaginaire, en réinventant, dans un non-lieu propice à l'avènement d'images trop longtemps contenues, les thèmes féminins traditionnels tels la naissance, l'accouchement, la blancheur et la virginité. Sans jamais nier le poids d'archétypes dont elles sont manifestement empreintes, les femmes ont dénoncé, dans des images radicales, la violence dont elles sont l'objet dans la répartition sexuelle des rôles, et ont tenté de cerner scrupuleusement, comme pour ne plus la perdre de vue, la fascination exercée par l'univers féminin.

Dans son désert et sa lumière blanche, Torregrossa fait déjà figure de légende. Par son nom comme par son geste, elle invoque tout à la fois, de façon ambiguë, la force de la résistance et la menace de la défaillance. Crucifiée, sacrifiée selon toute apparence, elle résiste: le couteau qu'elle tient à la main la laisse maîtresse de son sort, malgré le déchirement que révèle son visage. La naissance qui amorce le spectacle paradoxalement intitulé *Finalement* évoque, elle aussi, d'une autre manière, le déchirement. Renaissance, découverte de soi, de l'autre et des objets par l'exploration des sens constituent les paramètres de l'évocation silencieuse de cette expérimentation nouvelle. L'image révèle l'étrange animalité d'un lien que tisse entre trois femmes une naissance, une éclosion. La sphinge de *Veille* fait aussi figure d'animal étrange, inscrivant le corps emprisonné de la femme dans un exotisme et un imaginaire lui donnant stature légendaire et lui confiant la force immanente d'une héroïne mythique.

Parallèlement à l'avènement, dans les créations et les textes de femmes, de figures féminines irréalistes, voire mythologiques, les personnages de femmes aux prises avec les aléas de leur histoire commune continueront d'habiter la dramaturgie québécoise, y compris les oeuvres d'auteurs masculins. Ainsi, l'exclusion inscrite dans la figure dédoublée et masquée d'*Addolorata*, à 19 ans et à 29 ans, propose l'image d'une double marginalisation: femme et immigrante.

Que la recherche de sa propre identité et que la quête de soi l'aient menée à l'allégorie ou au pur reflet d'un miroir, que les personnages féminins aient été réalistes ou métaphoriques, la femme a ainsi gagné la scène québécoise et se trouve irréversiblement inscrite dans ce siècle théâtral.

53
La Lumière blanche
Théâtre Expérimental des Femmes
et Théâtre d'Aujourd'hui, 1985
Photo: Daniel Kieffer

54
Finalement
Théâtre Expérimental de Montréal, 1977
Photo: Gilbert Duclos

55
Veille
Auto/Graphe, 1981
Photo: Anne de Guise

55a
La Lumière blanche
Théâtre Expérimental des Femmes
et Théâtre d'Aujourd'hui, 1985
Photo: Daniel Kieffer

55c
Les Paravents
Théâtre du Nouveau Monde et Théâtre Français
du Centre National des Arts, 1987
Photo: Mirko Buzolitch

55b
Les Mille et Une Nuits
Nouveau Théâtre Expérimental, 1984
Photo: Mirko Buzolitch

exotisme
Une sphinge hiératique, une chamelle fabuleuse, une princesse légendaire et une esclave apeurée masquant derrière un voile opaque les marques de son oppression: images d'ailleurs pour exprimer un désir d'ici, une quête de vent, de souffle libérateur et de grands espaces. Enfermée dans un sac qui la statufie ou comprimée par des tissus qui la momifient, la femme s'invente des équipées mémorables, revendique une animalité mythologique et des exploits prodigieux. Attirée par les archétypes de l'Orient, du Far-West, elle s'applique à les déconstruire, réinventant l'Histoire en en déplaçant les contraintes.

56
Mademoiselle Autobody
Folles Alliées, 1985
Photo: Daniel Kieffer

56a
Où est Unica Zürn?
Nouveau Théâtre Expérimental, 1980
Photo: Anne de Guise

57
Addolorata
Théâtre de la Manufacture, 1983
Photo: Jean-Guy Thibodeau

58
Si les ils avaient des elles
Théâtre de Carton, 1979
Photo: Luc Vallières

58a
Au coeur d'la rumeur
ou *Trop p'tit pour être grand, trop grand pour être p'tit*
Théâtre de Carton, 1977
Photo: Michel Brais

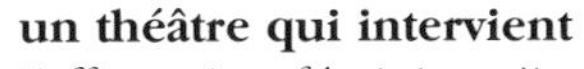

un théâtre qui intervient

L'affirmation féminine s'inscrit plus largement dans un mouvement qui allait secouer profondément le théâtre des années 1960 et 1970 au Québec et qui, par opposition aux compagnies institutionnelles et aux groupes déjà en place au moment de son éclosion, allait être baptisé «jeune théâtre». C'est l'époque de l'affirmation nationale, de l'exorcisme collectif, des soubresauts qui nous parviennent des gourous de la contre-culture américaine comme, ailleurs, des innombrables révoltes étudiantes. Les jeunes troupes pullulent et, avec peu de moyens, inventent une pratique neuve qui prend des voies diverses: divertissements, expérimentations en vase clos, revendications sociales et engagement politique s'entrecroisent, tissent des réseaux et, sans en avoir l'air, transforment le visage de nos scènes. Les rôles sexuels sont revus dans leurs manifestations les plus quotidiennes, les mutations se vivent sur le mode du jeu et de l'esprit communautaire, les changements dans les moeurs s'accompagnent d'un sourire goguenard et les marginaux accèdent à la parole. Libre et insolent, le jeune théâtre épouse toutes les causes et nomme tous les interdits. Il cristallise une ère de création collective où tout le monde met la main à la pâte, où les rôles dans la production d'un spectacle ne sont plus divisés selon la structure hiérarchique habituelle. S'il s'est assagi, s'il a réintégré les rangs, si son rassemblement exemplaire a éclaté en de multiples aventures particulières, le jeune théâtre, par son dynamisme irrésistible, par les créateurs qu'il a révélés comme par ceux qu'il a influencés, aura insufflé à la scène une vitalité dont elle profite encore aujourd'hui.

58b
Pourquoi s'mett' tout nus?
Rallonge, 1981
Photo: Daniel Kieffer

58c
Un M.S.A. pareil comme tout le monde
Organisation Ô, 1978
Photo: Michel Brais

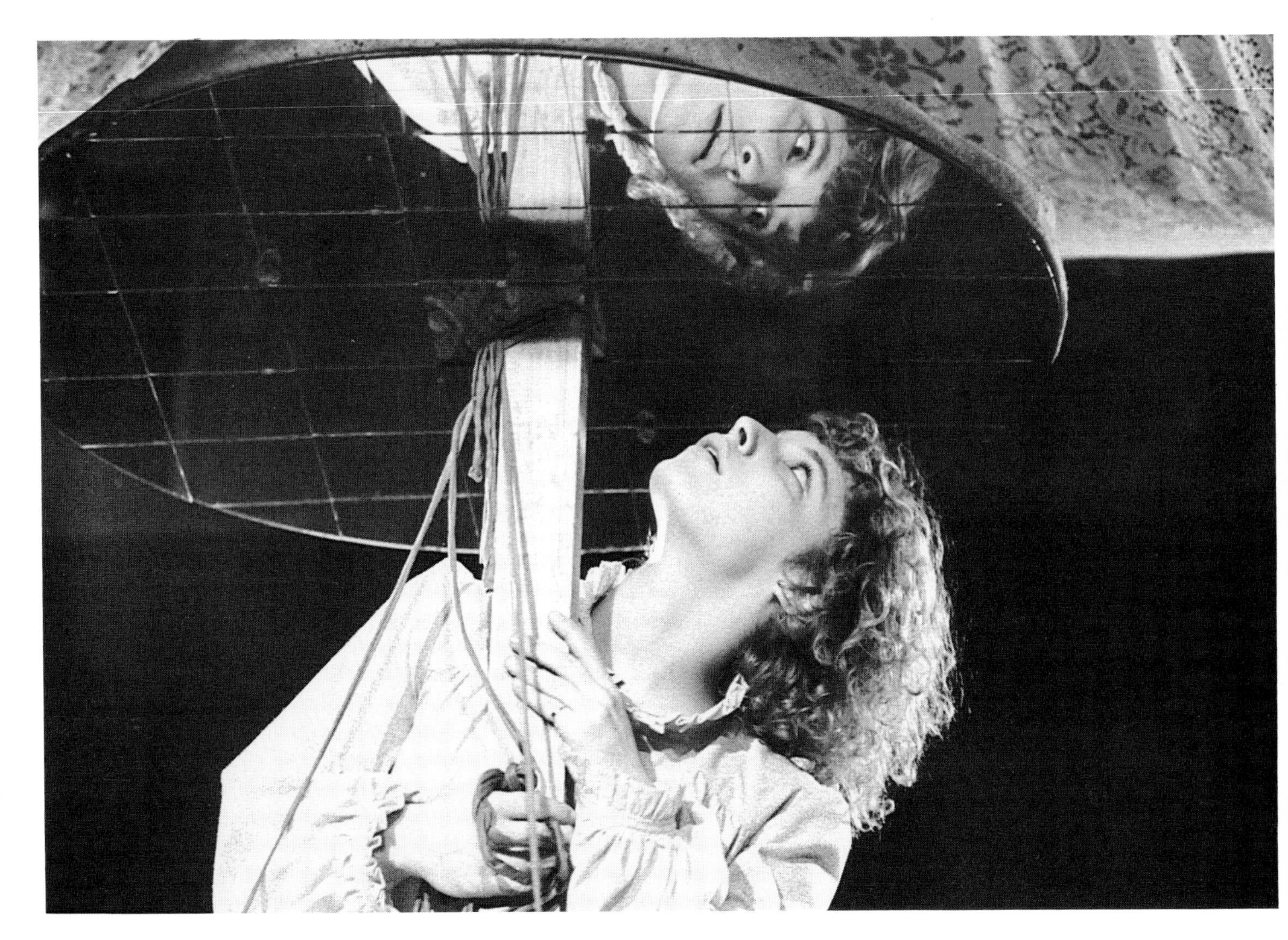

59
E
Organisation Ô, 1978
Photo: Michel Brais

miroir, dis-moi...

La tension du corps vers son reflet impalpable, la vision de son image dédoublée dans une glace, la recherche de son identité qui y apparaît morcelée, fragmentée en de multiples éclats, tout ce processus qui précède la reconnaissance de sa propre individualité comme personnalité distincte du reste du monde a constitué pour les femmes un «stade» crucial. *Où en est le miroir?* se sont demandé, à l'instar de Marie-Louise Dion et de Louise Portal, les créatrices en quête d'une parole féminine pleinement assumée. Motif de réappropriation et de mise à distance, le miroir est la figure de la différence autant que de la ressemblance. L'envers de soi qu'on y découvre prépare à l'avènement de l'Autre, de l'étranger, de l'homme, du monde. S'il a constitué pour les femmes — et pour le Québec en général, qui a appris dans les mêmes années à se regarder lui-même et à se *voir* vraiment — une étape décisive de prise de conscience et de cheminement vers une «psyché» nouvelle, le miroir a eu bien d'autres utilisations théâtrales. Procédé illusionniste qui depuis longtemps fascine, surface réfléchissante qui fait écran mais qui peut aussi révéler l'invisible, le refoulé — une figure paternelle, par exemple, qu'on a enterrée soigneusement et qui resurgit sans crier gare, comme une pure émanation de l'inconscient —, le miroir est redevenu, au fil du temps, un signe privilégié de la représentation spectaculaire. À l'heure où mirages et faire-semblant, artifices et trucages pullulent sur nos scènes, les jeux de glaces reviennent à l'honneur. Dédoublement et trompe-l'oeil, le miroir dévoile un aspect différent du réel, fait trembler la solidité de notre perception des choses et multiplie les occurrences du simulacre, de l'énigme et de la déroute. Paroi de verre mensongère qui se déploie en un perpétuel jeu d'apparences, le miroir se fait l'accessoire d'une nouvelle incertitude du sujet — féminin ou masculin —, d'une nouvelle oscillation du sens.

59a
Pandora ou Mon p'tit papa
Théâtre d'Aujourd'hui, 1987
Photo: Daniel Kieffer

59b
Othello
Théâtre du Nouveau Monde, 1986
Photo: Robert Etcheverry

59c
La Double Inconstance
Théâtre du Nouveau Monde, 1987
Photo: Robert Etcheverry

HOMOSEXUALITÉ MASCULINE

60
Hosanna
Compagnie des Deux Chaises, 1975
Photo: Daniel Kieffer

Un homme au visage et aux ongles peints se regarde et est regardé par un autre homme; et la convergence de leurs regards manifeste une conscience du jeu telle qu'elle défait à elle seule l'artifice pourtant criant du maquillage. En une gestuelle du travestissement, masquer, maquiller, démasquer et démaquiller balisent ainsi l'expression paradoxale d'une intime mise au jour. Le jeu du miroir manifeste ici de façon stridente les abîmes troublants de la marginalité homosexuelle.

Depuis l'apparition de *la Duchesse de Langeais* dans l'univers dramatique de Michel Tremblay, il y a vingt ans, une dramaturgie homosexuelle s'est développée, dans le sillon de l'expression théâtrale d'autres marginalités — telle celle des femmes ou des immigrants, malgré leur caractère profondément différent —, et une véritable esthétique homosexuelle s'est fait jour.

61
La Contre-nature de Chrysippe Tanguay, écologiste
Théâtre d'Aujourd'hui, 1983
Photo: Daniel Kieffer

Incarnation d'une cruauté nouvelle, le personnage du travesti a fait échec au cliché de l'homme déguisé en femme. Voué à l'expression d'un univers essentiellement dramatique, il a imposé une esthétique dont la théâtralité exacerbée échappe à la parodie et au burlesque. D'abord durement connotée dans des figures de «grandes folles» ou de «duchesses», l'homosexualité s'est incarnée dans des personnages qui, peu à peu, ont délaissé le travestissement.

La féminité exprimée par Louis «Chrysippe» Tanguay détourne ce travestissement vers de nouveaux lieux intimes. Le personnage est en pleine lumière, illuminé, au coeur d'un monde de tissus et de drapés, et la robe qu'il a revêtue en semble un prolongement tout naturel. L'homme barbu a conservé sa tête d'homme, sans aucun maquillage. La robe et le geste seuls sont signes d'un travestissement «allégé» conférant à l'image même du travesti une évanescence qui prépare l'avènement de l'homosexuel «ordinaire». Sans recours à l'artificialité des maquillages et à l'extravagance vestimentaire des travestis, ce dernier affichera, comme expression première de son homosexualité, son corps d'homme, dont émanera une sensualité non moins frappante et qui instituera une esthétique nouvelle.

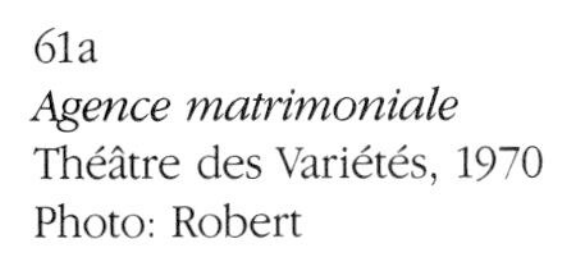

61a
Agence matrimoniale
Théâtre des Variétés, 1970
Photo: Robert

61b
Un sur six
Compagnie Jean-Duceppe, 1978
Photo: François Renaud

61c
Hosanna
Théâtre de Quat'Sous, 1973
Photo: André Cornellier

Malgré la persistance, dans la dramaturgie récente, des stéréotypes de l'homosexualité comme le travestissement et «les manières», les personnages homosexuels offrent une représentation d'eux moins spectaculaire et s'inscrivent davantage dans le quotidien — malgré les détours par l'Histoire et le recours au procédé du théâtre dans le théâtre des *Feluettes*. Telles sont du moins les apparences. Car, en fait, même si le quotidien s'impose, tant dans le jeu que dans les costumes, les scénographies et même dans les histoires racontées, il entre en contradiction avec le romantisme qui imprègne actuellement la dramaturgie homosexuelle. En effet, une vision romantique du monde traverse l'amour contrarié des Feluettes autant qu'elle hante la vision fantasmatique de la jouissance impossible à envisager dans une relation quotidienne entre deux hommes, et qui pousse Yves à tuer son amant plutôt que de perdre l'intensité sublime de leur lien, dans *Being at home with Claude*. Et ce romantisme entrave l'avènement de ce que le parcours esthétique de l'expression homosexuelle suggère pourtant: la démarginalisation de l'homosexualité.

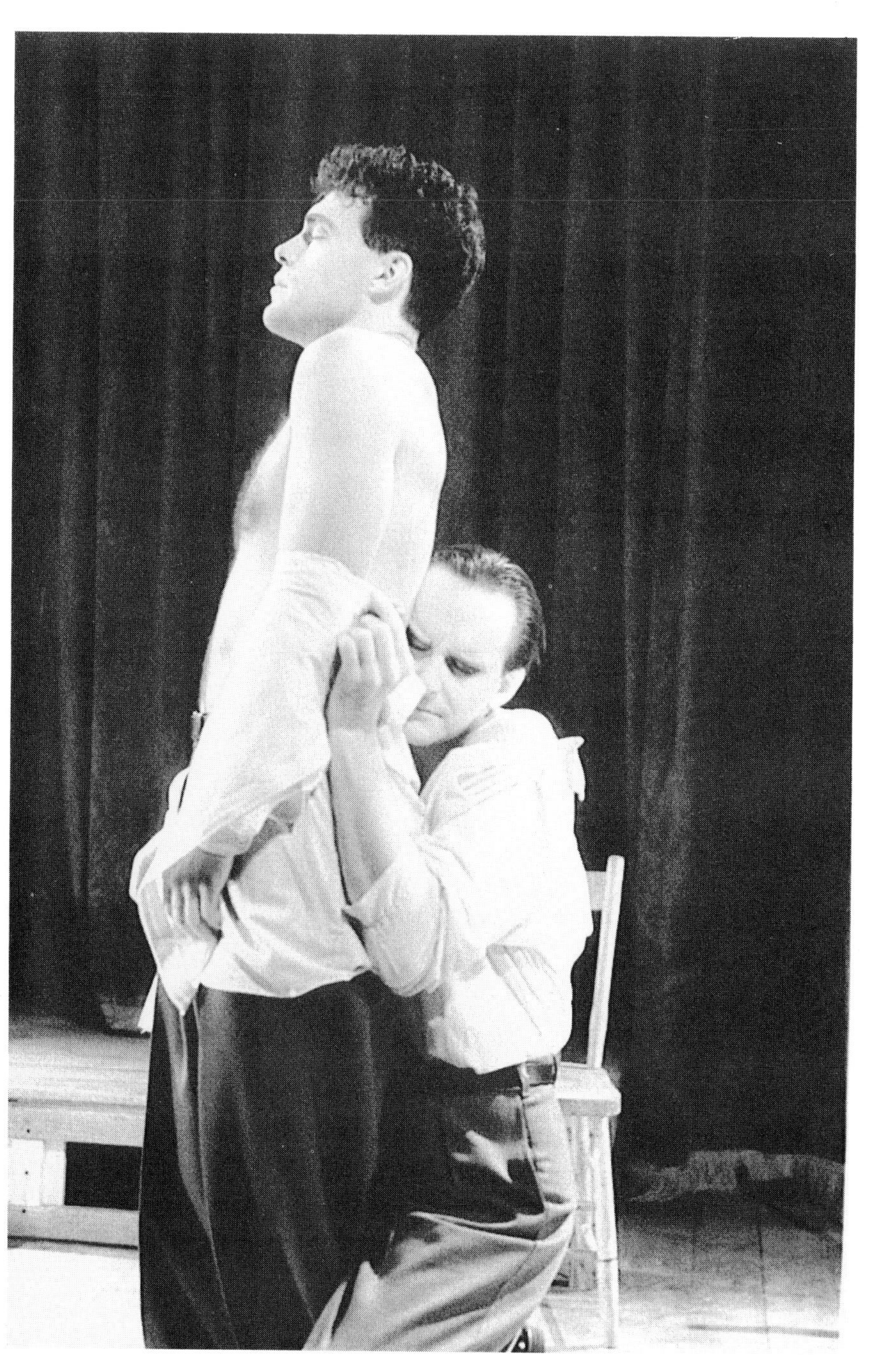

61d
Les Feluettes
Théâtre Petit à Petit, 1987
Photo: Robert Laliberté

La sensualité, chez les personnages homosexuels récents, émane le plus souvent de la chair (de la nuque, des épaules...) que laissent voir leurs vêtements. Mais son expression plus libre et apparemment plus naturelle, plus spontanée, se heurte à l'esprit même qui anime la quête et l'affirmation de soi dans lesquelles est engagée l'homosexualité masculine au théâtre. L'image que retient la photo de *Being at home with Claude* est évocatrice en ce sens. Dans l'enceinte capitonnée d'une justice accablante, Yves, le jeune prostitué qui a assassiné son amant, se replie sur lui-même. On l'a laissé seul et, face à un mur écrasant, il s'est prostré, a croisé ses bras l'un sur l'autre au-dessus de sa tête, les liant ainsi dans une totale immobilité, comme s'il endossait une camisole de force imaginaire. Un léger déhanchement dévoilant une ceinture de chair est la seule trace perceptible de ce qui a pourtant porté ses fantasmes: l'homosexualité où puisse se réaliser son être propre. Sublimation de la pulsion de mort, l'image romantique de l'amour entravé se trouve ainsi réalisée, paradoxale.

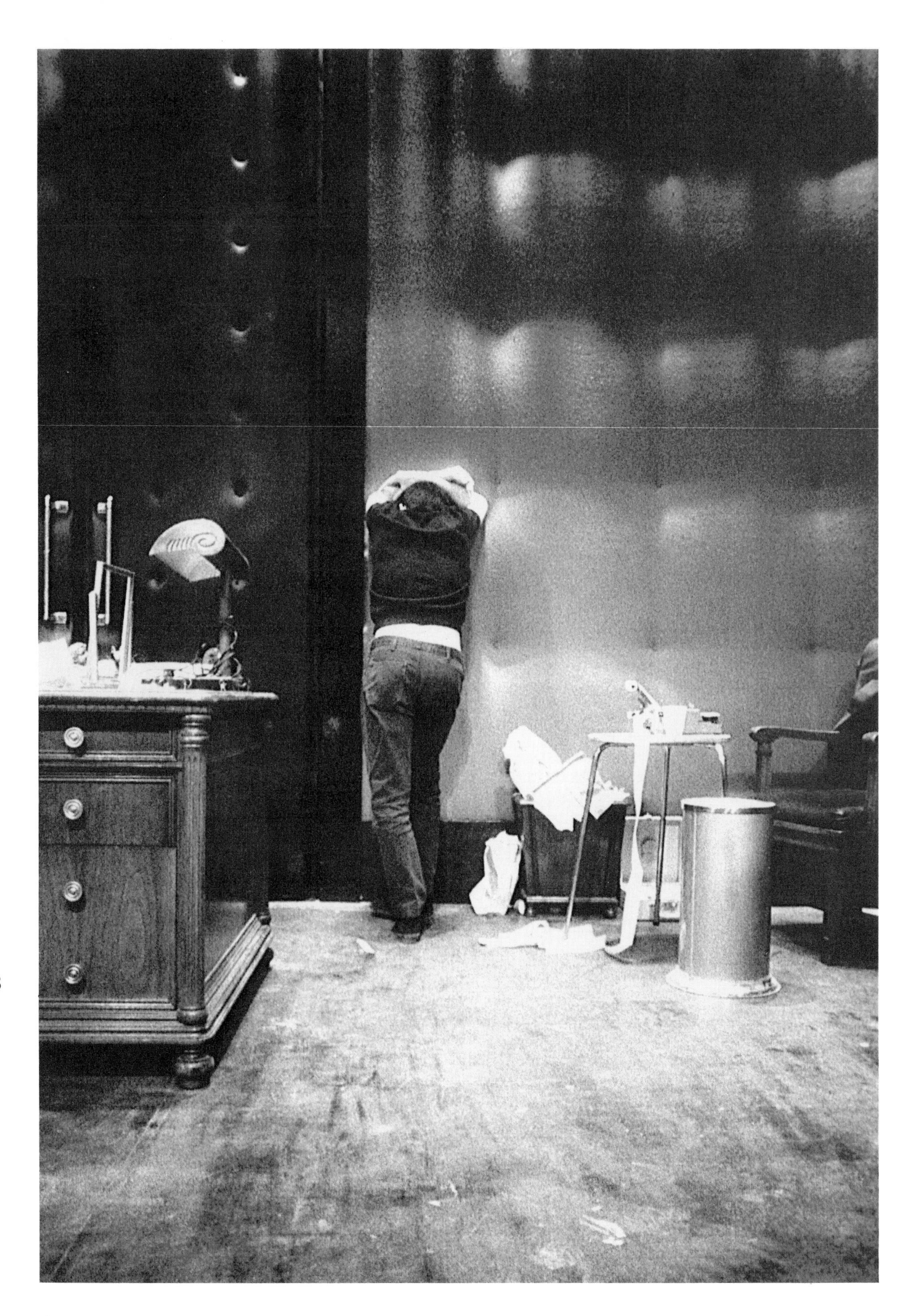

62
Being at home with Claude
Théâtre de Quat'Sous, 1985
Photo: Robert Laliberté

«LA GRANDEUR DU GESTE ET DES PASSIONS»

Désir, douleur, séduction et déroute passent par le corps. Parallèlement à la prise de parole et aux acrobaties verbales auxquelles se sont livrées nos auteurs des années 1960, la découverte d'un vocabulaire corporel riche de sens a absorbé toute une part de la pratique théâtrale d'ici. Sous l'impulsion du mime et de la danse, qui allaient influencer le théâtre et se laisser, en retour, contaminer par lui, un code gestuel raffiné s'est élaboré peu à peu sur la scène, permettant d'exprimer les nuances infinies de sentiments complexes. Revenus d'Europe où ils s'étaient formés aux écoles de Decroux, de Barba, de Grotowski, nos créateurs, forts de leur nouveau savoir, ont articulé une grammaire du mouvement dont la maîtrise graduelle s'est de plus en plus largement répandue, modifiant pour de bon l'aspect de la recherche et de la création. Magnifié ou sacrifié, transcendé par une dépense physique qui l'épuise et l'abstrait, devenu pictural et allégorique, le corps exulte, étale sa liberté ou réprime son anarchie en des circonvolutions où blessure et jubilation s'éprouvent d'une façon avant tout charnelle.

62a
La Grandeur du geste et des passions
Groupe Le Pool, 1985
Photo: Gilberto de Nobile

63
L'Homme rouge
Enfants du Paradis, 1982
Photo: Yves Dubé

Tendu ou ployé en arc, offert ou refermé, renversé, stylisé et virtuose, il se fait porteur d'étrangeté, se propose comme source de découverte et d'étonnement. Hommes et femmes laisseront au dessin de leurs mains, à la cambrure de leurs reins, à la courbe de leur nuque, à la fixité de leur regard ou à l'étalement ostentatoire de la difficulté de leur discipline le soin de parler d'eux. Le discours du corps a souvent servi l'expérimentation théâtrale dans sa quête de présence à soi et d'énergie vitale, d'authenticité et d'organicité. Le mouvement gomme l'individualité des visages et fait accéder les acteurs à l'abstraction, à la pure expression d'une idée. Il permet d'autant mieux, de la sorte, l'exploration des chocs du privé pour laquelle on l'utilise. Nouveaux emblèmes d'une corporéité souveraine, les créateurs qui préfèrent le geste au discours sont à la recherche de leurs sources héréditaires autant que d'une mémoire corporelle plus vaste, telle que déposée par les siècles, et qu'ils tentent de réactiver.

63a
Till l'Espiègle
Groupe de la Veillée, 1982
Photo: Richard Tougas

le corps qui souffre
Spiritualisé par une dépense qui l'exténue et le sanctifie, le corps, selon les préceptes grotowskiens, s'oublie dans une énergie qui transcende sa matérialité anecdotique et individuelle. Il n'est plus qu'une icône de la passion ou du déchirement, un élan de l'être vers la lumière.

64
Wouf Wouf
Atelier de la Nouvelle Compagnie Théâtrale, 1974
Photo: André LeCoz

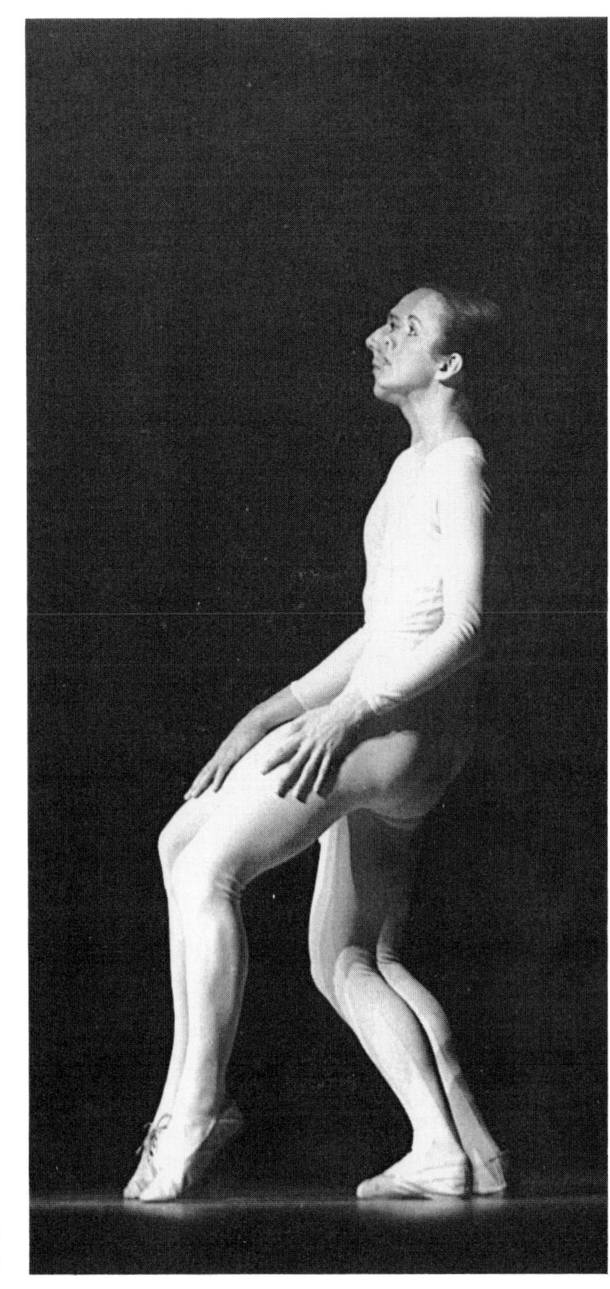

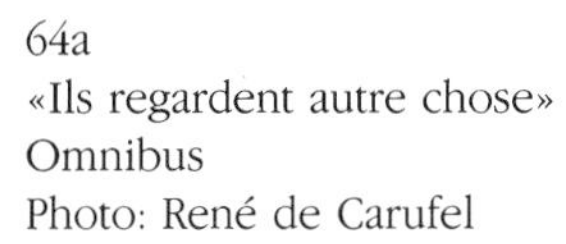

64a
«Ils regardent autre chose»
Omnibus
Photo: René de Carufel

65
Deux Contes, parmi tant d'autres, pour une tribu perdue
Omnibus, 1985
Photo: Gilberto de Nobile

l'évanouissement de la forme
La photographie accomplit ce paradoxe de figer un mouvement, sa netteté étant par là garante d'infidélité par rapport à son objet. Le déplacement fugace d'un corps ou d'une matière s'y résoud en un flou cristallin et impénétrable, comme la trace impalpable d'une fuite traînant dans son sillage une vérité à jamais voilée.

65a
Médée
Atelier-Studio Kaléidoscope, 1981
Photo: Robert Etcheverry

66
Alice
Omnibus, 1982
Photo: Davide Peterle

JEUNES PUBLICS

67
Alice au pays des merveilles
Théâtre du Rideau Vert, 1971
Photo: Guy Dubois

Entre les pas élégants du menuet et la course turbulente des jeux et des moqueries, marquis de Carabas et petites filles ingénues aux prises avec une faune étrange ont cédé le pas, dans le théâtre jeunes publics, à des enfants terribles d'un autre ordre. Depuis les essais plus ou moins isolés du milieu du siècle jusqu'au riche foisonnement actuel, le théâtre québécois qui s'adresse à l'enfance a connu un développement spectaculaire, autant par la quantité d'artistes qui s'y consacrent désormais que par la diversité des genres qu'ils y abordent. Le Théâtre-Club, par le biais de son Théâtre des Mirlitons, fut l'une des premières compagnies pour adultes à réserver une part de ses activités au jeune public; le Théâtre du Rideau Vert fut la dernière. À la suite de ces pionniers, une multitude de troupes consacrées exclusivement à l'enfance allaient naître au cours des années 1970 et remuer en profondeur le paysage théâtral destiné aux jeunes spectateurs.

En 1948, les Compagnons de saint Laurent avaient fondé à l'intention des «petits» le Théâtre de l'Arc-en-Ciel. D'autres groupes (Compagnie du Masque, Apprentis-Sorciers), y compris des initiatives municipales comme la Roulotte et le Vagabond (théâtres ambulants parcourant les parcs de la ville), adapteront pour eux des contes célèbres, des classiques de la littérature, et feront appel, entre autres, aux bouffonneries des clowns et à l'irréalité des marionnettes pour élaborer des productions empreintes de fantaisie, de féerie et de merveilleux. Malgré le fait qu'un texte original (*les Trois Désirs de Coquelicot*, de Luan Asslani) ait été créé dès 1960 par le Théâtre des Mirlitons, l'émergence d'une véritable dramaturgie pour enfants sera plus lente; cette dramaturgie sera par contre d'une qualité soutenue, attentive à désarticuler les stéréotypes et révélant, ici comme à l'étranger, des oeuvres remarquables dont le succès ne se démentira pas. Sous l'impulsion du jeune théâtre, auteurs, metteurs en scène, comédiens et scénographes vont se concerter, créer un festival annuel dès 1974 et redéfinir entièrement le type d'art qu'ils défendent. Explorant et écoutant l'imaginaire enfantin, ils parlent d'apprentissage, d'amitié, de découverte de soi, d'ouverture au monde, de rapport avec les «grands».

Taciturne, l'androgyne silencieux terré sous son toit, se rend compte de l'existence d'un voisin qui, ô surprise, partage avec lui la même lune; Môa, terrorisée par le gigantesque et immaculé Tôa, est épaulée de façon inattendue par une Sôa espiègle sortie de son miroir; se réveillant d'une longue et agréable hibernation, un ours découvre qu'on a bâti une usine au-dessus de sa tanière et n'arrive pas à convaincre les humains, qui veulent l'embrigader, qu'il est d'une autre espèce, qu'il est différent. La teneur du discours conserve un lien avec ce qui se disait autrefois, mais la façon de parler est neuve et dynamique, partagée entre le didactisme et la participation, le miroir et le divertissement, la poésie et l'engagement, le quotidien et la fantaisie. On évite la morale et les lourdes leçons et, petit à petit, les productions se spécialisent selon des groupes d'âges bien définis — le théâtre pour adolescents, développé plus tardivement, est actuellement en plein essor. Bien qu'un lieu permanent, la Maison-Théâtre, puisse maintenant les accueillir, les jeunes troupes, itinérantes, visitent encore les gymnases, transportent leurs décors d'école en école et préparent des outils pédagogiques destinés à alerter les étudiants sur les divers aspects de leur travail. Costumiers et scénographes assurent à leurs créations une facture visuelle signifiante où s'associent rigueur et folie, tandis que les auteurs cherchent volontiers du côté de la métaphore et de l'allégorie: on ne s'inspire plus des fables, mais on ne reste pas forcément collé au réel; les «messages» que l'on véhicule s'accommodent fort bien de la parabole. Aujourd'hui comme hier, où l'on était plus «classique» dans sa façon de s'adresser au monde de l'enfance, cet univers a toujours semblé constituer, pour les créateurs, une occasion privilégiée de libérer leur imaginaire et de le rafraîchir, de s'adonner sérieusement à un travail ardu et de réussir à en faire émaner un indiscutable plaisir.

68
Le Chat botté
Théâtre-Club (Théâtre des Mirlitons), 1959
Photo: André LeCoz

69
Une lune entre deux maisons
Carrousel, 1982
Photo: Michel Fournier

entre deux âges

Aux prises avec les mille et un conflits qu'entraîne la négociation de petits pouvoirs à la maison familiale, les adolescents entreprennent d'aménager à leur fantaisie la Maison des jeunes qu'on leur octroie: entre ces deux photographies, l'enjeu d'un théâtre particulier se fait jour. Ni enfants ni adultes, les adolescents, sur la scène comme dans la vie, tiennent une place qu'il est malaisé de cerner. À part la Nouvelle Compagnie Théâtrale, qui leur présente depuis 1964 des textes du répertoire offerts en matinées scolaires, les troupes qui s'adressent à eux leur ont le plus souvent parlé, jusqu'ici, de leur réalité et de leurs problèmes, de leur difficulté d'insertion dans un tissu social où ils font tache. Se spécialiser en théâtre pour adolescents a souvent signifié se mettre dans leur peau, leur proposer un théâtre-miroir où leur quotidien est reproduit et scrupuleusement analysé, en un assemblage accrocheur qui use de couleurs vives, de rythmes syncopés et de décibels puissants. On ose depuis peu leur soumettre des univers imaginaires plus biaisés, quitter le concret de leur vie et les entraîner dans de vastes espaces métaphoriques où les balises du réel sont mises en doute. Drogue, prostitution, inceste, délinquance et sexualité demeurent des soucis omniprésents, comme le sont l'acceptation de soi, la peur de n'être pas conforme à l'image qu'attendent les autres, la mesure de l'idéal et des rêves inassouvis. D'autres sons de cloche, cependant, se font entendre à l'occasion, qui signalent la présence plus discrète de l'onirisme et de la poésie, de courants parallèles auxquels des auteurs de plus en plus nombreux se consacrent.

69a
Les Petits Pouvoirs
Carrousel, 1982
Photo: Anne de Guise

69b
Sortie de secours
Théâtre Petit à Petit, 1984
Photo: Martin L'Abbé

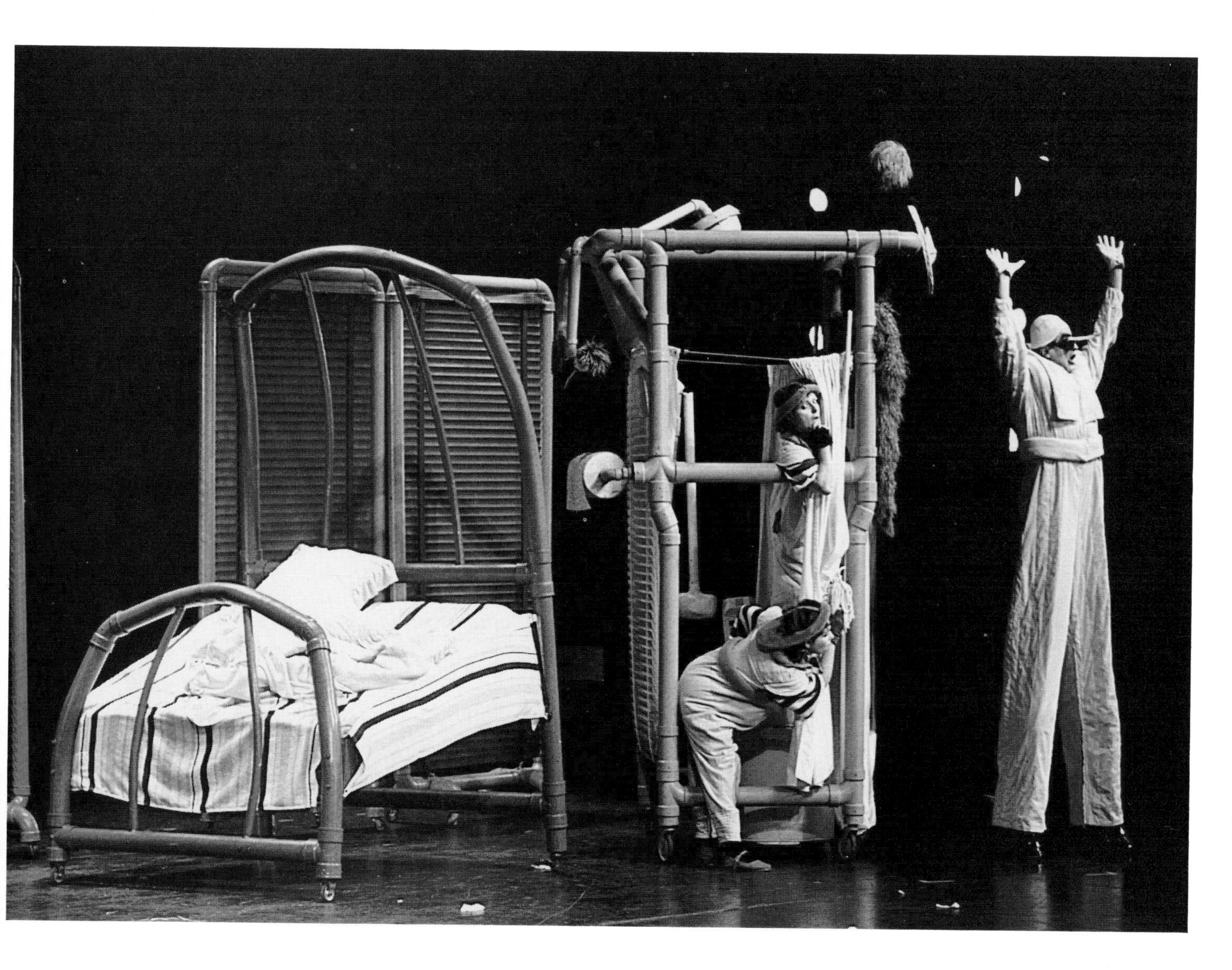

70
Pleurer pour rire
Théâtre de la Marmaille, 1980
Photo: Paul-Émile Rioux

71
Je suis un ours!
Théâtre l'Arrière-Scène, 1982
Photo: André Cornellier

FIGURINES

71a
Le Voyage immobile
Enfants du Paradis, 1978
Photo: Michel Brais

Tandis qu'un visage d'acteur, vibrant et animé, révèle des nuances infinies de sentiments par ses moues, ses regards, ses rides, sa sueur, le masque est immobile, figé en une expression qui ne change plus. Couvrant un visage, il en tait le mouvement, en oblitère la particularité et la remplace par une image morte qui reporte ailleurs l'attention du spectateur. Ainsi en est-il de la marionnette ou de la prothèse par rapport au corps, du dessin ou de l'image plane par rapport aux trois dimensions de la scène. Les procédés anti-réalistes pervertissent notre perception du vrai: emblème de la théâtralité, un masque, en soi, est représentation. Sa plasticité signale l'artifice et la figuration au même titre que certains maquillages volontairement picturaux qui transforment la physionomie plutôt que d'en souligner les traits. L'outrance dans le fard, ces composés d'acier et de latex qui sculptent et travestissent, font un déguisement, une pure apparence, d'un faciès que l'on vide ainsi de son individualité.

Ce rapport entre le vivant et l'inanimé, entre l'humain et le pantin occupe depuis longtemps ceux qui s'interrogent sur la vérité au théâtre. Entre le formalisme des Compagnons de saint Laurent et celui de l'Agent Orange, l'écart est considérable; les typologies héritées de la commedia

72
Les Irascibles
Compagnons de saint Laurent, 1945
Photo: Père Laurier Péloquin

dell'arte ont fait place à d'autres stéréotypes graphiques, le maquillage, d'effet allégorique, devenant décoration, considérée pour sa beauté intrinsèque ou pour l'univers esthétique dans lequel elle s'insère. Et si elles ont personnifié des groupes humains, des forces d'antagonisme ou d'inertie, les marionnettes ont souvent servi, en retour, à accuser l'automatisation, l'uniformisation d'hommes-fantoches que la proximité de ces figurines de marbre ou de tissu transforme en pantins dérisoires, en statues pathétiques écrasées par leur propre grandeur, en jouets impuissants d'une intention supérieure. Réceptacles impassibles de tous les rêves et de tous les fantasmes, les marionnettes ont généré des clichés dont le théâtre use volontiers; parfois habillés en poupées, en pierrots, en personnages de bandes dessinées intégrés à des décors faux, ostensiblement fabriqués et sans aucune prétention réaliste, les êtres de chair deviennent des signes, d'étranges insectes épinglés dans des univers irréels. Les écrans, les téléviseurs, les projections qui meublent désormais nos scènes accumulent les artifices avec une intention analogue: questionnant le réel, proposer des voyages oniriques où la distance par rapport au quotidien force le public à faire appel à un autre plan de réflexion qui le fait accéder à l'abstraction, au commentaire, à l'analyse.

73
Équation pour un homme actuel
Saltimbanques, 1967
Photo: Pierre Moretti

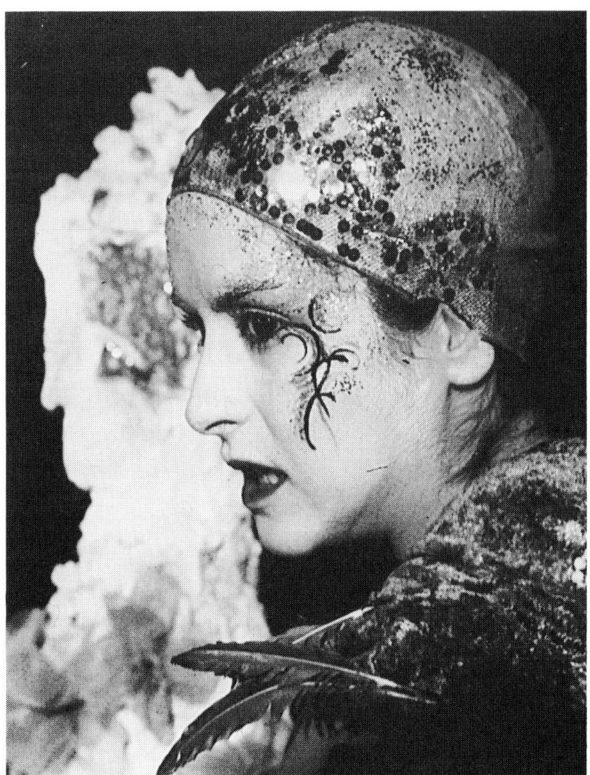

73a
Figures
Eskabel, 1978
Photographe inconnu

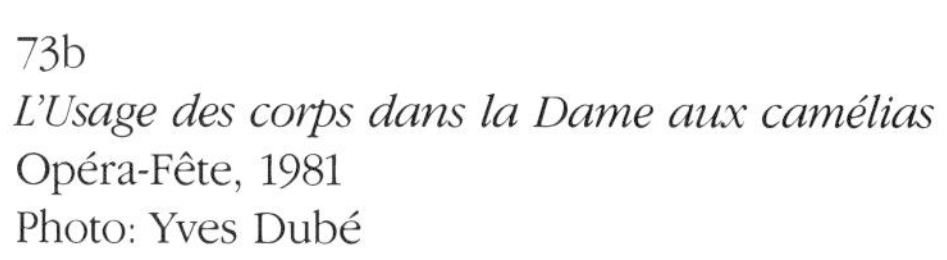

73b
L'Usage des corps dans la Dame aux camélias
Opéra-Fête, 1981
Photo: Yves Dubé

73c
Une histoire encore possible
Tess Imaginaire, 1983-1984
Photo: Ernesto Mortorello

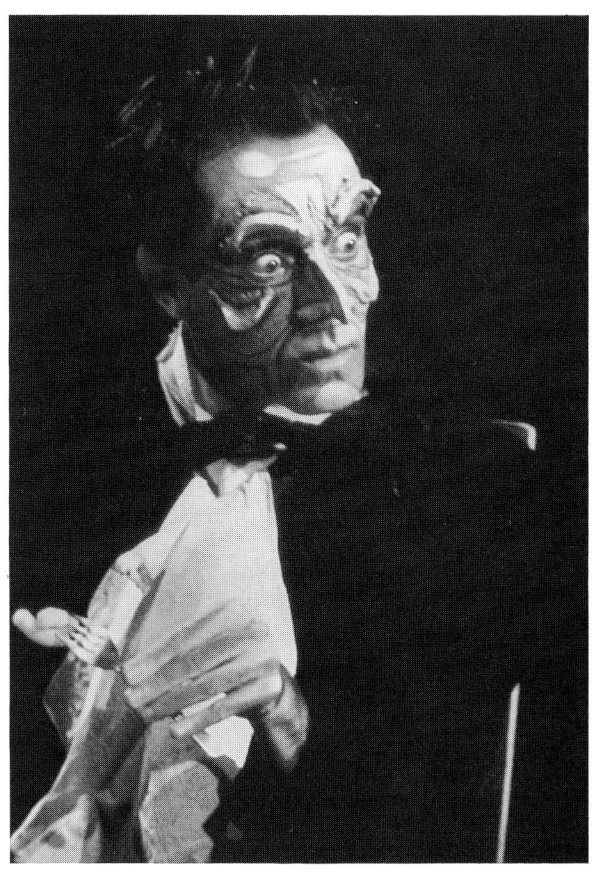

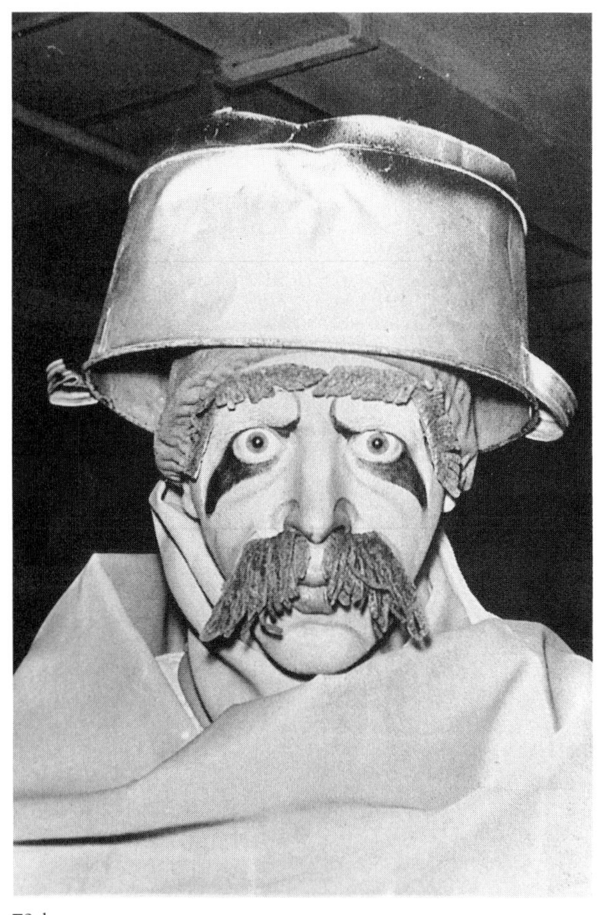

73d
Ubu roi
Égrégore, 1962
Photo: Reynald Rompré

visages démasqués

Ubu est roi. De nulle part. Son royaume est aussi faux que sa chevelure, ornée d'une casserole renversée. Si, par ses deux poignées, il peut littéralement s'y accrocher, sa fausse couronne, plus large que son crâne, l'écrase. Plutôt que de l'élever et de lui conférer prestige et dignité, elle le retient au sol. Tout en lui vise le sol: descendant de ses yeux hagards, son maquillage suit le motif de sa moustache postiche et un trait accentue en demi-lune son menton. Le maquillage ici fige l'expression en un masque fixant jusqu'au regard et qui épouse la forme d'un visage qui, déjà, pointe vers le bas.

Le second chevauche sa céleste bicyclette et vise le ciel. Posées sur un chapeau haut-de-forme comme celui d'un magicien, ses lunettes rappellent celles des pilotes d'antan. Sur son visage, un rien de maquillage marque le théâtre de ses rêves et de sa folie, et le costume qu'il a revêtu en accentue la représentation. Le regard, presque totalement laissé à sa propre expression, mais qui se masque des accessoires dont il est encadré, avoue l'ironique candeur de celui que l'on tient pour fou.

C'est un masque de douleur que révèle la figure enfarinée du troisième homme. L'expression de fermeture qu'accentuent les yeux et les lèvres noircis de ce clown mondain reprend le motif même du geste de la main. Dans le jeu de miroir émouvant de l'expression et du geste se lit l'attitude d'un personnage, sa cruelle résignation.

Le maquillage, qu'il soit dessin ou accessoire, accentue la particularité de chacun des trois personnages, mais tisse entre leurs visages la parenté clownesque de leur sort.

73e
La Céleste Bicyclette
Café de la Place, 1979
Photo: Jean-Guy Thibodeau

73f
Garden Party
Théâtre Expérimental de Montréal, 1976
Photo: Gilbert Duclos

73g
Luna Hollywood
Opéra-Fête, 1983
Photo: Yves Dubé

les artifices révélés

Dans la création d'une image futuriste, le loup des masca des anciennes cède la place à un masque-bandea teinture noire qui, s'alliant à la peau cuivrée et aux ch grimés et blanchis de la comédienne, parle déjà d'un m froid et mécanisé où la particularité d'un regar minimisée. Devenu pur objet de réverbération p luminosité de sa chevelure et de sa peau — qui retienc ou refléteront la lumière la plus crue —, le corps hum troque sa chaleur contre une visible froideur, déréalisar

Le maquillage, qui modifie l'apparence de l'acteur, con un code privilégié des artifices du théâtre. Si le m cache le visage et le fixe, le maquillage s'ajoute au fa multiplie ainsi l'étendue des expressions, qu'il accen transforme. Sa fonction, de la sorte, n'est plus tant d'en que de générer des signes nouveaux et d'autres sens. combinant avec les formes et les couleurs.

Ainsi, théâtralisé par essence, le maquillage devient représentation. Au centre d'une arène, une comédien assise, nue, et son corps entier est publiquement maq Les acteurs qui l'encerclent tracent sur elle au moyen longs pinceaux des dessins abstraits. Le modèle et la to se confondent, dans un cérémonial où l'art de séduire pre véritablement forme. «Les armes de la séductrice» so révélées.

73h
«Les armes de la séductrice», *Treize Tableaux*
Nouveau Théâtre Expérimental, 1979
Photo: Hubert Fielden

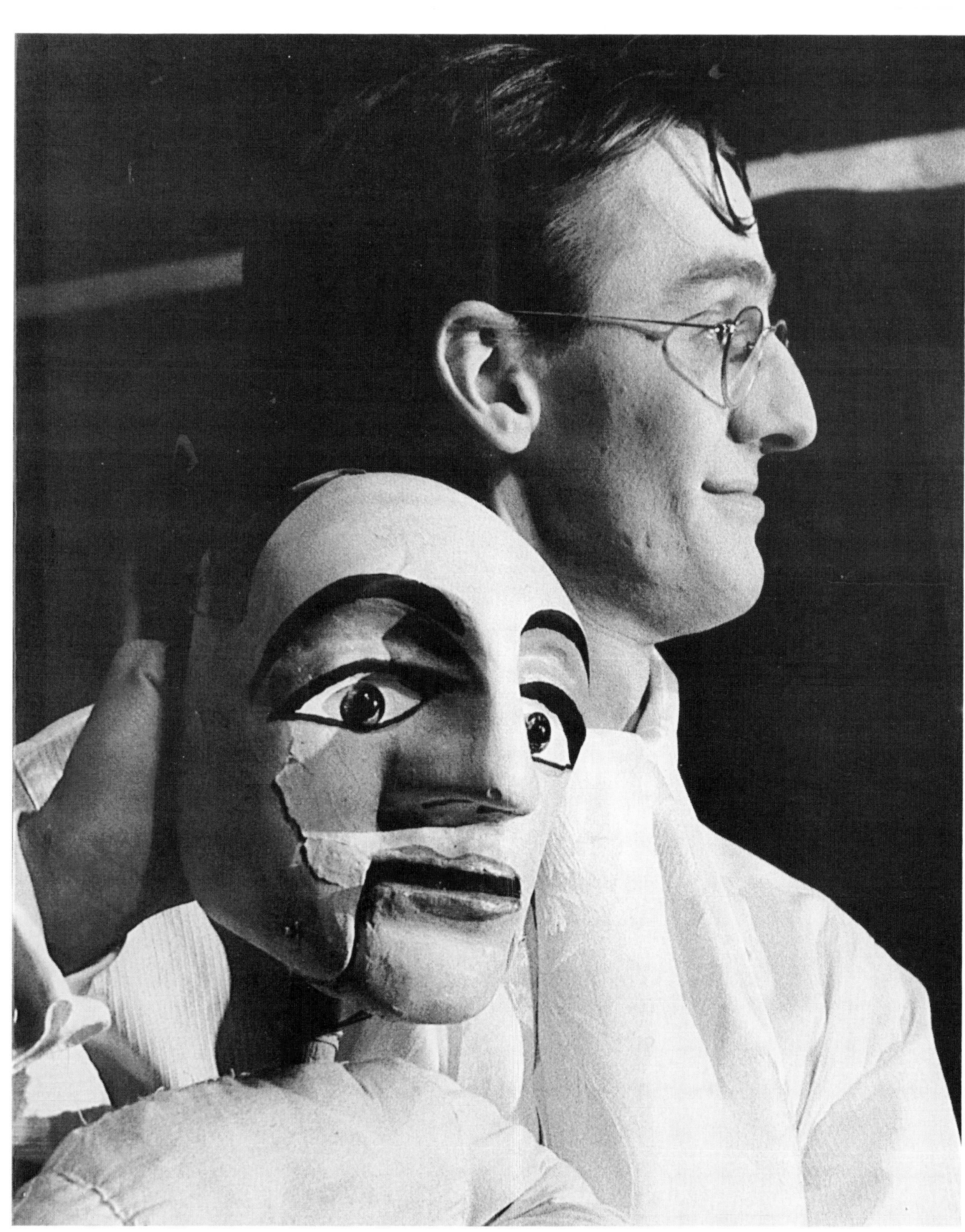

73i
Hamlet
Compagnie Théâtrale l'Échiquier
et Théâtre de Quat'Sous, 1982
Photo: Francisco

74
Qui est Dupressin?
Égrégore, 1961-1962
Photographe inconnu

75
T'es pas tannée, Jeanne d'Arc?
Grand Cirque Ordinaire, 1970
Photo: André LeCoz

76
Caligula
Théâtre-Club, 1962
Photo: Stan Jolicoeur

76a
Auguste Auguste, auguste
Nouvelle Compagnie Théâtrale, 1973
Photo: André LeCoz

76b
Irma la douce
Théâtre du Nouveau Monde, 1963
Photo: Henri Paul

76c
L'École des bouffons
Théâtre de l'Avant-Pays et Comédie Nationale, 1981
Photo: Yves Dubé

77
Le Seigneur des anneaux
Théâtre Sans Fil, Nouvelle Compagnie Théâtrale et Centre National des Arts, 1985
Photo: André Panneton

78
La Passion de Juliette
Théâtre du Nouveau Monde, 1984
Photo: Robert Etcheverry

78a
Knock ou le Triomphe de la médecine
Théâtre du Rideau Vert, 1972
Photo: Guy Dubois

comme un dessin animé
Une barre diagonale divise l'image en deux. En haut, un personnage vu en contre-plongée se tend, comme prêt à s'envoler, vers l'extérieur du cadre, entouré d'un décor fait de grands panneaux transparents à l'allure vaguement futuriste. L'artiste a réservé un espace plus grand pour le bas de la case, là où se loge la tension: un pierrot désarticulé gît douloureusement, habillé de noir, dans les bras d'un être irréel dont la blancheur et les ornements donnent un relief saisissant à sa posture. On a donné au plancher une apparence texturée destinée à se détacher du fond sombre et à en briser l'effet écrasant. Soigneusement construite — par le photographe aussi, qui en a choisi le point de vue et le cadrage —, cette image pourrait figurer, telle quelle, dans l'une des planches d'un album illustré. La B.D. s'étant répandue à toutes les sphères de l'art, des créateurs ont su en utiliser la théâtralité naturelle, le caractère lapidaire où une illustration condense mille mots. Servant au grossissement caricatural comme aux méandres allégoriques d'un formalisme revu par l'avant-garde, la bande dessinée donne un vernis moderne et désinvolte aux productions visuelles, qui, grâce à elle, soulignent les conventions sur lesquelles elles tablent pour lancer aux spectateurs un clin d'oeil entendu. Des personnages aux grosses lunettes que nous ont laissés les images d'aviateurs aux briques dessinées, aux fleurs de plastique et au bois simulé qui entourent des acteurs dont on devine à peine le visage sous la peinture, l'illustration fait signe, elle se déclare l'émanation d'un code, d'un système esthétique qui porte ses propres contenus.

79
Le Voyage dans le compartiment
Tess Imaginaire, 1984
Photo: Ernesto Mortorello

80
Luna Hollywood
Opéra-Fête, 1983
Photo: Yves Dubé

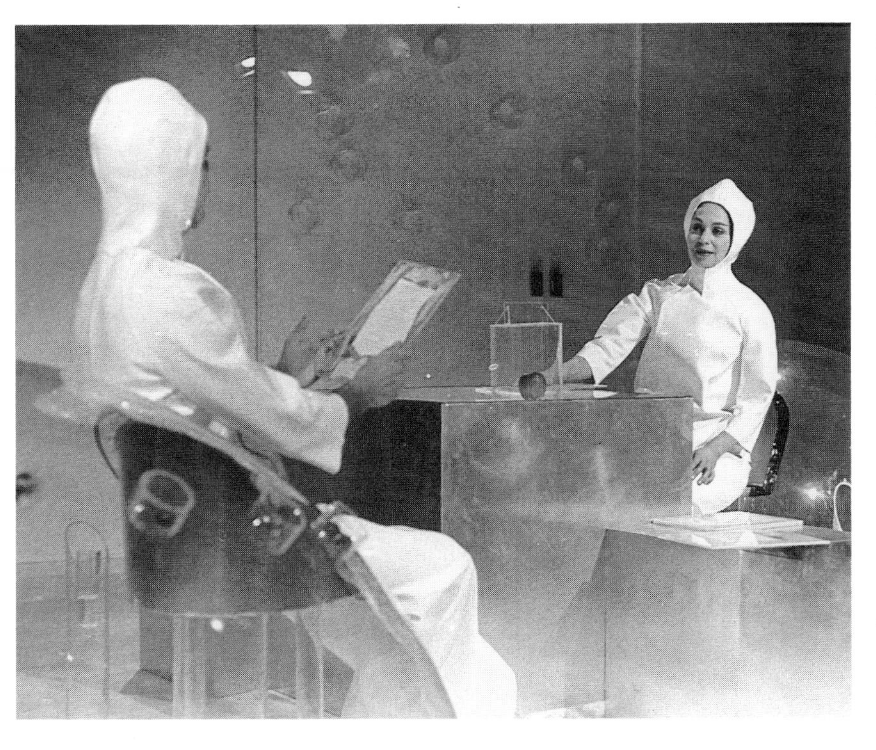

80a
Api 2967
Égrégore, 1967
Photo: André LeCoz

futurismes

À une quinzaine d'années d'intervalle, on interprète de façon fort différente le contemporain, l'avant-gardiste et les audaces formelles. 1967: combinaisons de caoutchouc et meubles de verre dans un décor vide racontent une fiction aseptisée sur un avenir dominé par la science où l'improvisation et la sensualité n'auront plus leur place. Plus bas, des corps métalliques aux visages luisants se plient à la géométrie et aux contenus mythologiques d'une esthétique *pop* qui découvre le potentiel pictural d'une osmose du mouvement et de la lumière. 1983: plastique luisant et maquillages criards s'intègrent à un environnement carrelé où la froideur s'émaille de reliques défaites et d'objets quotidiens qui acquièrent de la sorte un caractère d'étrangeté. C'est l'ère *punk*. Plaqués au mur ou courbés vers le plancher, les corps n'ont d'existence que graphique. D'une époque à l'autre, cependant, la même uniformité dénonce la peur d'un monde où les êtres se ressembleront tous.

80b
Équation pour un homme actuel
Saltimbanques, 1967
Photo: Pierre Moretti

80c
À la recherche de M.
Théâtre Zoopsie, 1986
Photo: Gilles Amyot

un bombardement d'images

Les écrans, les ordinateurs et les téléviseurs, envahissant le quotidien, n'ont pas tardé à prendre le théâtre d'assaut. Le spectacle de la technologie peuple désormais la scène. Une actrice aux lunettes noires artificiellement plaquée contre un miroir qui dédouble son visage, une femme ligotée sur les rails d'une voie ferrée constituent déjà, à elles seules, la convocation de clichés cinématographiques précis. Mais l'actrice pose devant une caméra; mais la femme paraît sur un écran: cette distanciation supplémentaire cite avec d'autant plus d'insistance les codes de la représentation. Or, cette citation ne s'arrête pas là, puisque l'actrice peut observer son image sur l'écran du téléviseur, qu'une femme réelle est couchée au bas de l'écran où s'imprime le fantasme qu'appelle sa situation: dédoublements et mises en abîme se multiplient bientôt en un effet vertigineux. Que sont devenus le corps de l'acteur et l'illusion du réel?

L'écriture scénique, devant la rapidité du développement technique qui a ouvert de nouveaux horizons aux concepteurs, s'est métamorphosée d'une façon radicale. Comme le sont les montages télévisés, les spectacles sont désormais fragmentés, discontinus, faisant appel à des ralentis et à une stylisation accrue où l'on met en relief un objet, le détail d'un costume, où l'on étale en gros plan la teneur d'un regard. Le réel est filtré par un système d'apparences où l'on multiplie à volonté la même image, où l'on entrechoque des actions en direct et d'anciens événements. Le temps n'est plus le seul à s'effriter de la sorte; la projection d'actions ayant été filmées n'importe où élargit démesurément l'espace de la scène et confère souvent à ceux qui y apparaissent un dangereux pouvoir d'ubiquité. Les médias ont de toute évidence marqué non seulement le travail technique, mais aussi l'imaginaire même des concepteurs, qui se mettent à réfléchir sur l'Image et sur sa médiatisation, sur l'interférence des discours et la perte de la proximité palpable du phénomène spectaculaire. Le mensonge entache désormais notre perception du théâtre et, par là, critique l'ancienne illusion de vérité sur laquelle reposait le courant réaliste. La surexcitation visuelle, le tourbillon où nous plongent à présent certaines productions nous le disent de mille manières: l'Histoire n'a plus de solidité, les mémoires artificielles la transforment en profondeur et emmagasinent toute l'information dont le monde jusqu'ici a été investi. Qu'un personnage sorti de la peinture classique soit cerné par d'envahissants téléviseurs banalisant son image n'a plus rien pour étonner: nous sommes entrés, histoire de l'art et communications confondues, dans une ère du doute.

81
Fiction
Agent Orange, 1985
Photo: Jacques Perron

81a
Marat-Sade
Carbone 14, 1984
Photo: Yves Dubé

«LES OBJETS PARLENT»

82
Les objets parlent
Nouveau Théâtre Expérimental, 1986
Photo: Yves Dubé

La façon dont on habille une scène révèle beaucoup de la manière dont on envisage l'univers particulier d'une production: costumes et accessoires renseignent sur les êtres fictifs dont ils sont les marques tangibles. Une table, un chapeau, une épée, un cadre ou un détail de l'ameublement peuvent révéler le genre de vie, le type de préoccupations et jusqu'à l'âge d'un personnage. Un cadre naturaliste reposera sur une illusion de vérité, comme un décor outré, fantaisiste ou métaphorique signalera une intention plus ou moins accusée de pervertir le réel; l'environnement, les couleurs, les objets et les formes demeurent la voie privilégiée, au théâtre, de déclarer son rapport avec le monde.

82a
Irma la douce
Théâtre du Nouveau Monde, 1963
Photo: Henri Paul

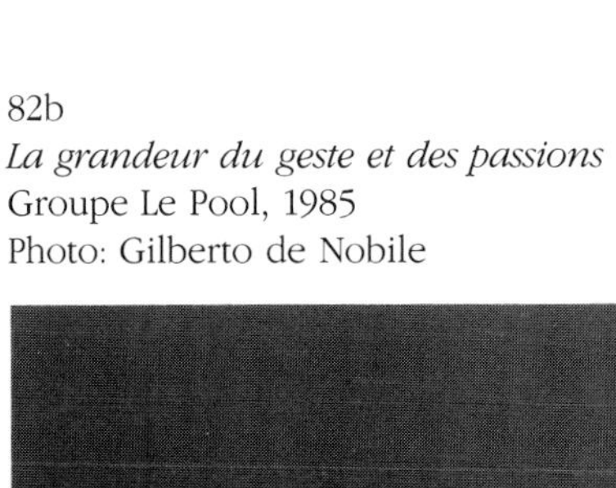

82b
La grandeur du geste et des passions
Groupe Le Pool, 1985
Photo: Gilberto de Nobile

82c
La Marelle
Carrousel, 1984
Photo: Robert Etcheverry

grand et petit
À l'aide d'une patère et de deux chapeaux qu'il place à des hauteurs différentes, un homme invente un dialogue impliquant deux protagonistes, dont l'un est en position de supériorité et de pouvoir. La taille et l'emplacement des objets ne sont jamais innocents. Pousser d'une main, en se penchant sur lui d'un air mi-espiègle, mi-volontaire, un camion tout petit qui imite cependant les formes d'un engin puissant, jeter un regard de biais, suspendu dans les airs, à une caserne de pompiers très loin au-dessous de soi et à l'intérieur de laquelle on joue à se trouver, c'est dominer le monde et en contrôler la marche, renverser les valeurs et régner comme un enfant, de façon absolue et impérative, sur la planète et sur son propre sort.

82d
Les Paysanneries
Photo: Roger Bédard

l'illusion du réel
Par ses thèmes et ses textes, une grande part de notre théâtre verse `dans le réalisme. Scènes de cuisine ou de salon, situations et paroles du quotidien côtoient ainsi des univers oniriques où le dialogue, plus métaphorique, se teinte d'irréalisme. La dramaturgie du terroir a appelé la création de scénographies réalistes, où le décor tente, dans la plus pure des illusions, de reproduire un monde connu. *Les Paysanneries* recréent ainsi une vaste cuisine où des meubles de la vraie vie: banc de bois, rouet, poêle à bois et chaise berçante, cernent une table dont les chaises, tournées irréalistement vers le public, avouent leur théâtralité. Au mur, au coeur de tout cela, les ancêtres sont symboliquement accrochés, garantissant l'authenticité de l'ensemble. Empruntant à l'art pictural l'illusion de la profondeur, la toile peinte du décor burlesque permettra quant à elle, avec peu de moyens, de recréer à la scène une rue ou l'allée d'un parc, pour élargir l'horizon de la représentation.

82e
Sketch burlesque
Théâtre Canadien, vers 1949
Photo: Pierre Sawaya

La part physique et matérielle de la scène, l'architecture du décor et le ludisme des accessoires, qu'ils soient quotidiens, mimétiques ou placés sous le signe du délire le plus fou, s'allient au débridement des costumes pour établir une relation avec les dimensions des objets et avec le jeu de leurs contrastes qui teinte de nuances diverses l'histoire que l'on interprète. Des parapluies brandis comme des boucliers devant le tricycle d'un chevalier, un mur de carton ou de toile peinte, les rayures d'un pantalon, la taille démesurée d'un décor en regard des minuscules personnages qui y sont intégrés, les batailles endiablées d'uniformes sportifs connotatifs de notre culture ou de dessins ambulants emportés par leur environnement, tout ce jeu sur le contenant demeure, en tout premier lieu, un jeu raffiné sur le sens.

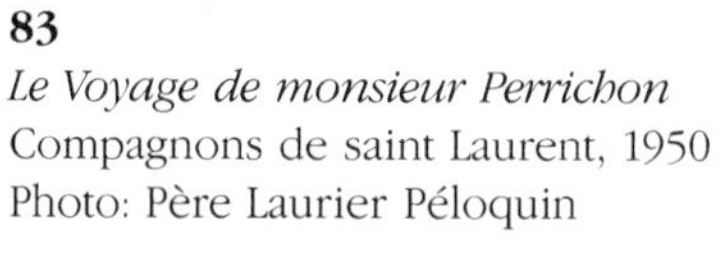

83
Le Voyage de monsieur Perrichon
Compagnons de saint Laurent, 1950
Photo: Père Laurier Péloquin

84
Ines Pérée et Inat Tendu
Nouvelle Compagnie Théâtrale, 1976
Photo: André LeCoz

une lignée de rois

Le roi Ubu traîne sur lui les signes tapageurs de son royaume de pacotille; la mère couronnée garde accrochés à elle tous ses sujets. Gagnante d'un million de timbres-prime, Germaine Lauzon, ménagère, faussement couronnée et vêtue d'une robe flamboyante mais de mauvais goût, brandit comme un sceptre le symbole du royaume dont elle se croit depuis peu l'absolue souveraine, et trône au beau milieu de son Olympe. Qu'ils soient d'une autre littérature ou fruits de notre propre imaginaire, rois et reines nous fascinent, car ils peuvent, au premier coup d'oeil, signifier la plus pure décadence. Ces souverains et souveraines proclament la fausseté de leur royaume, héritée sans doute de ce pays nié de notre imaginaire québécois.

Richard 3, dans le rayon d'une lumière crue de cinéma, parle du roi défait qu'il est devenu, dans une atmosphère de scène d'horreur. Dans une attitude de véritable roturier, le roi Lear, parodié, est assis sur un pauvre trône fait de caisses vides, dans un faux palais dont les murs, littéralement, sont en papier. Cible parfaite des intrigues et des complots de sa descendance, Lear affiche sa vulnérabilité et le péril de sa royauté par son costume, dont la pauvre composition contredit l'habillement des souverains et offre en pâture sa nudité. Les rois shakespeariens menacés, nous les faisons nôtres volontiers, en amplifiant parodiquement leur déroute.

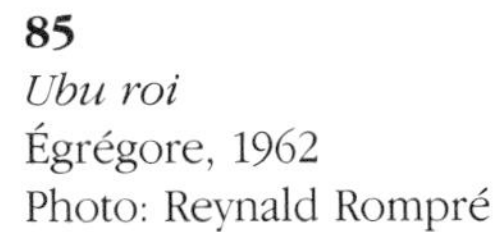
85
Ubu roi
Égrégore, 1962
Photo: Reynald Rompré

85a
La Lumière blanche
Théâtre Expérimental des Femmes
et Théâtre d'Aujourd'hui, 1985
Photo: Daniel Kieffer

85b
Les Belles-Soeurs
Théâtre du Rideau Vert, 1971
Photo: Daniel Kieffer

85c
Richard 3
Théâtre Zoopsie, 1985
Photo: John Wassilco

85d
Lear
Théâtre Expérimental de Montréal, 1977
Photo: Gilbert Duclos

86
Quichotte
Jeunes Comédiens du T.N.M., 1973
Photo: André LeCoz

87
Le Chemin du Roy
Égrégore, 1968
Photo: André LeCoz

87a
Ligue Nationale d'Improvisation
L.N.I., 1982
Photo: André Panneton

affrontements sportifs

Le Québec ne déteste pas les fausses batailles, les faux héros et les faux «méchants». Son engouement pour la dérision, la parodie et la compétition devait amener tout naturellement ses créateurs à utiliser sur scène les codes de la tradition sportive, laquelle a du reste une théâtralité naturelle, un spectaculaire intrinsèque dont il s'agit dès lors de tirer parti. À la fin des années 1960, déjà, *le Chemin du Roy* retraçait l'histoire du pays à naître, en opposant au hockey deux équipes formées de ses figures les plus célèbres — la politique est ici, on l'a dit, le deuxième sport national. La Ligue Nationale d'Improvisation irait plus loin, recréant le lieu, l'ambiance et les règlements du hockey, en des matches d'improvisation dont la formule allait faire boule de neige, le rire, la parade, l'ostentation ayant chez nous des racines profondes. *It Must Be Sunday*, plus récent et à vocation moins populaire, va chercher du côté d'un autre sport ses images de marque et ses affrontements. Le football, auquel jouent une religieuse et une armée d'anges déchus, exalte le corps dans son effort et dans son ascétisme, dans son déploiement et dans sa douleur. Avec le temps, la nature de la compétition a changé. D'une virtuosité de la parole, d'un combat de mots, le théâtre, moins accroché à son terroir et plus stylisé, est passé à une pure emphase du geste.

88
It Must Be Sunday
Groupe Le Pool, 1986
Photo: Gilberto de Nobile

89
La Nuit des rois
Théâtre du Nouveau Monde, 1968
Photo: André LeCoz

89a
La Nuit des rois
Théâtre-Club, 1956
Photo: Henri Paul

«la nuit des rois ou ce que vous voudrez»
Cette oeuvre de Shakespeare — tout autant que son sous-titre — avait de quoi plaire aux artistes d'ici, friands de fantaisie. En 1946, le père Émile Legault demande la collaboration d'Alfred Pellan, qui conçoit et peint les costumes, les maquillages et les décors de *la Nuit des rois* des Compagnons de saint Laurent. En 1959, Monique Lepage et Jacques Létourneau du Théâtre-Club confient à Jan Doat la mise en scène de l'oeuvre, dont l'histoire de notre théâtre garde bonne mémoire. Le décor de Jacques Pelletier et les costumes de Regor et Vlada suivent à leur tour des sentiers fantaisistes. Quand, en 1968, Jean-Louis Roux présente l'oeuvre au Théâtre du Nouveau Monde, il demande à Pellan ses maquettes; la confection des costumes est cette fois confiée aux ateliers du théâtre. Plutôt que d'être dessinée, l'oeuvre de Pellan est transposée dans des tissus de différentes formes et couleurs, qui confèrent à la représentation une richesse de coloris et d'effets encore perceptibles en noir et blanc.

89b
La Nuit des rois
Compagnons de saint Laurent, 1946
Photo: Père Laurier Péloquin

pellan chez madame audet

Alfred Pellan peint les costumes, les décors et les accessoires pour un «récital» des élèves de madame Audet, qui présentent au Monument National, en 1945, *Madeleine et Pierre*, adaptation d'un roman radiophonique d'André Audet. Sur la photo, Pellan peint la robe de Bleuette, fiancée du prince Bleuet, interprétée par Estelle Piquette dans le sketch «Les trois princes». Le père Legault, spectateur ce jour-là, allait demander à Pellan de réaliser l'année suivante l'oeuvre visuelle qu'est devenue *la Nuit des rois* chez les Compagnons.

89c
Alfred Pellan (au centre),
peignant les costumes devant servir à un récital
Monument National, 1944
Photo: R. Carrière

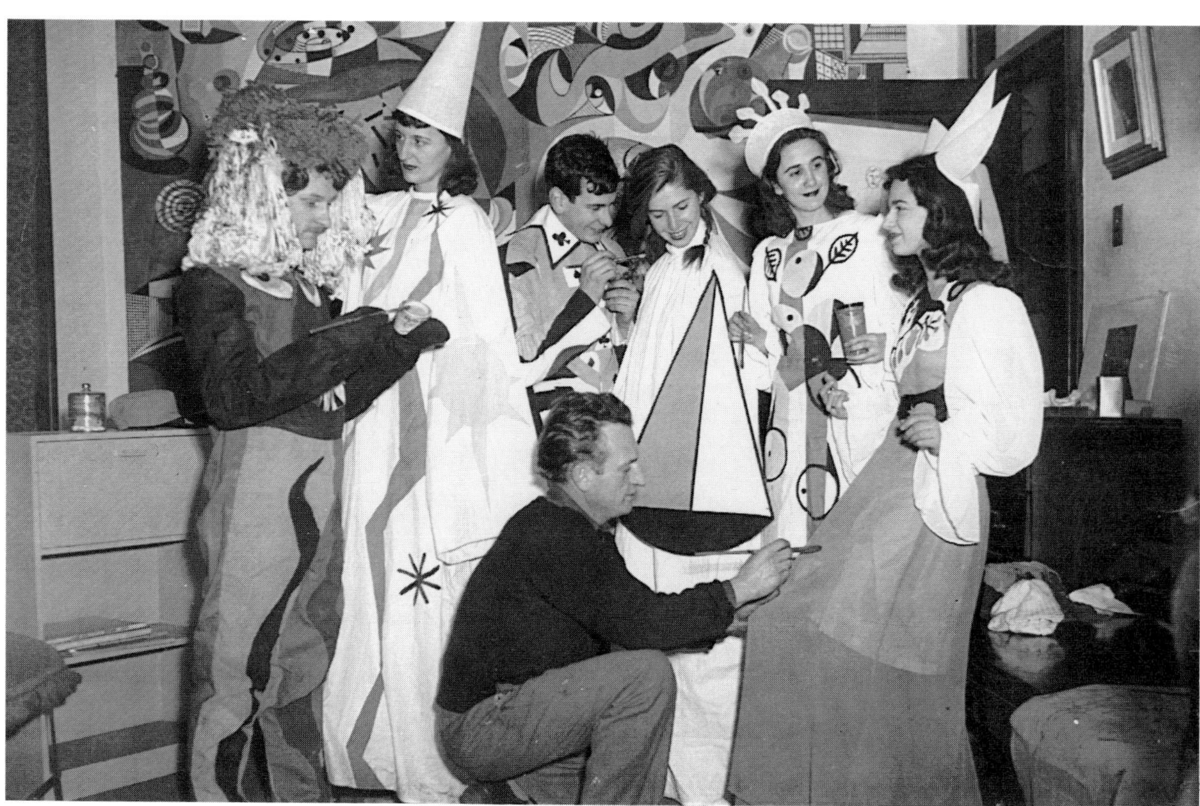

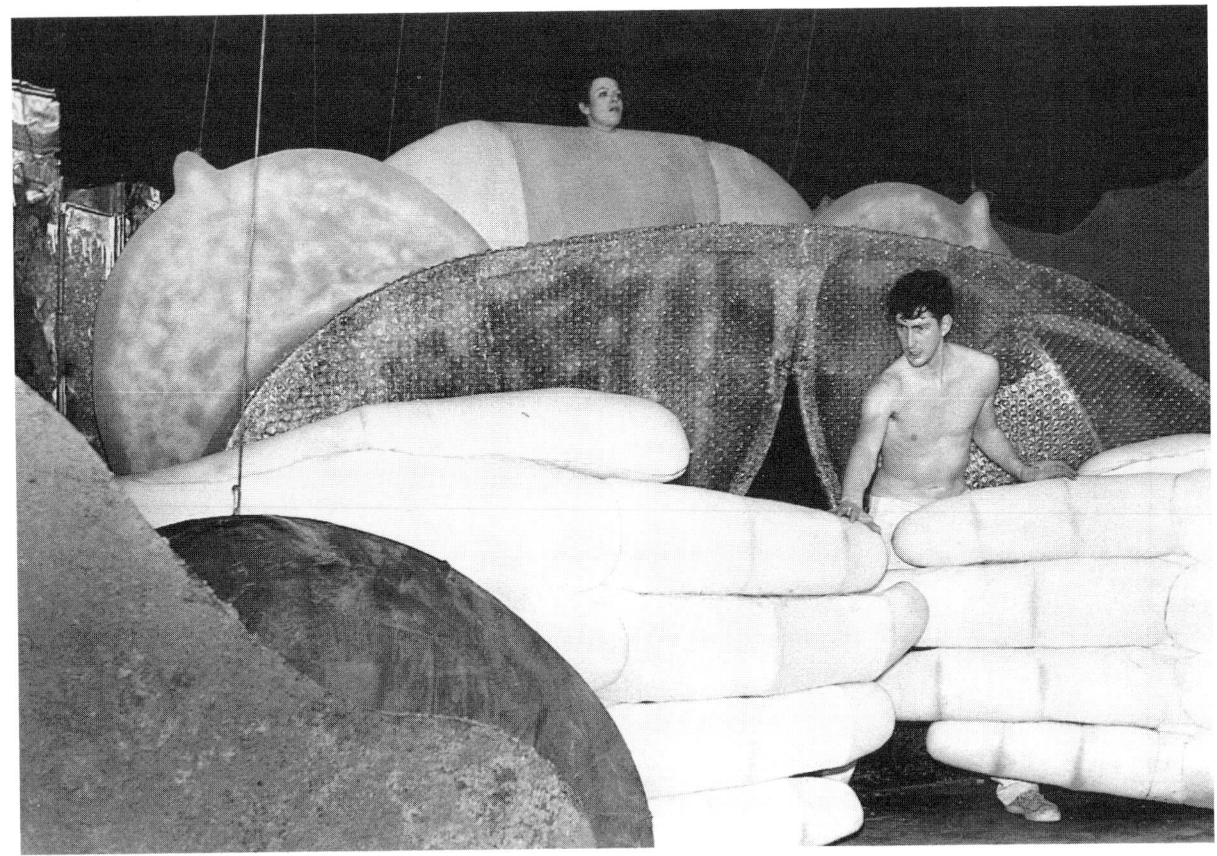

90
Colette et Pérusse
Théâtre de Quat'Sous, 1975
Photo: André Cornellier

90a
La Saga des poules mouillées
Théâtre du Nouveau Monde, 1981
Photo: André LeCoz

ESPACES ET LUMIÈRES

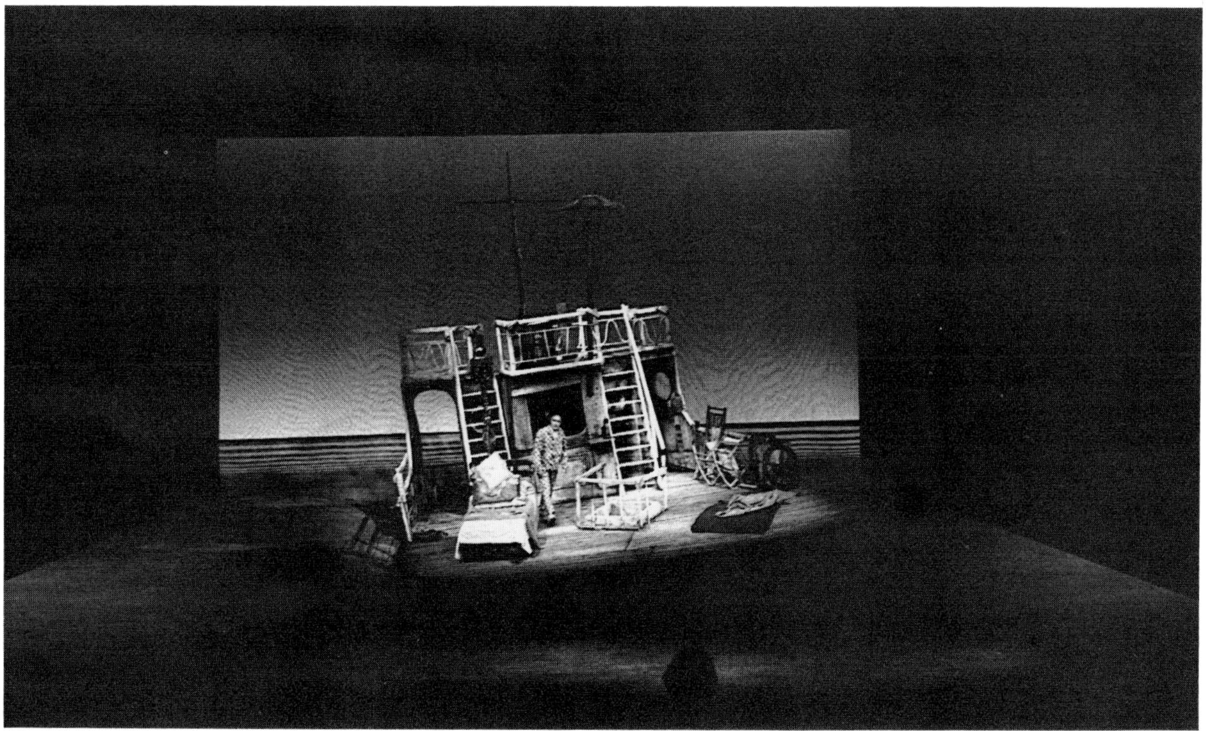

91
Un bateau que dieu sait qui avait monté et qui flottait comme il pouvait, c'est-à-dire mal
Théâtre du Nouveau Monde, 1971
Photo: Daniel Kieffer

Comédiens et décors sont intégrés à un environnement, irradiés ou balayés de faisceaux lumineux qui nous font regarder là où l'on désire que nous regardions. Si l'espace a longtemps, au Québec, été occupé d'une façon relativement conventionnelle, des créateurs, peu à peu, se sont mis à en interroger les dimensions, à en exploiter la hauteur et la largeur, à jouer du vide qu'il ménage et à y faire circuler des rayons de lumière impalpables diffusant des atmosphères ténues. L'espace est devenu métaphore: immense et troué en son centre d'un dispositif scénique fragile ou rempli de formes et de tissus jusque dans le moindre de ses interstices, il marque l'importance du milieu physique quant à l'action humaine, place les corps dans les limites d'une étendue et d'une profondeur qui, imposantes, écrasantes ou investies en totalité, constituent une certaine manière de concevoir le rapport de l'homme avec le Cosmos.

Des innovations scénographiques diverses ont creusé dans le plancher scénique des piscines luxueuses, transporté des actions quotidiennes sur la surface précaire d'une trampoline, recréé à l'intérieur le sol gazonné d'un improbable jardin, symbolisé les antagonismes sociaux par l'image voyante d'une arène de lutte. Les troupes se sont mises à investir des lieux a-théâtraux, à envahir le décor urbain et à transformer en tréteaux des espaces réels qu'elles réinterprétaient par la même occasion, la ville tout entière devenant une vaste scène.

La lumière, de la même façon, s'est imposée comme nouveau discours théâtral, qu'on l'exploite pour elle-même (comme l'a fait *le Rail*, en cherchant de nouvelles manières d'éclairer le théâtre), qu'on en utilise allégoriquement le caractère perçant, irradiant et magnétique (*Ultraviolet*, dans son titre même, se place sous le signe de la lumière), ou qu'on explore les ombres qu'elle génère, l'irréalité et la magie qu'elle peut créer, l'effet poétique qu'elle ménage ou l'illumination qu'elle permet. Trouant l'obscurité, la lueur d'une chandelle rapproche deux personnages en une intimité totale; l'attention nouvelle portée à un éclairage devenu environnement fait éclater au sol une luminescence posée comme un absolu, laquelle, avant de s'éteindre sur les lieux et de s'évanouir dans la mémoire, laisse au rêve des éclats fugitifs, des cristaux précieux enfermant des images qui se déposent lentement, en mille lueurs, comme un dernier scintillement d'étoiles.

91a
Gapi
Théâtre du Rideau Vert, 1977
Photo: Guy Dubois

91b
Fiction
Agent Orange, 1985
Photo: Jacques Perron

91c
Le Songe d'une nuit d'été
Équipe, 1945
Photo: Henri Paul

92
Montréal, série noire
Théâtre Zoopsie, 1986
Photo: Mario Beaudet

92a
Montréal, série noire
Théâtre Zoopsie, 1986
Photo: Mario Beaudet

92b
À partir d'une métamorphose III
Eskabel, 1981
Photo: Yves Dubé

92c
La Tour
Nouveau Théâtre Expérimental, 1986
Photo: Gilbert Duclos

92d
L'Usage des corps dans la Dame aux camélias
Opéra-Fête, 1981
Photo: Yves Dubé

93
L'Échange
Théâtre du Nouveau Monde, 1956
Photo: Henri Paul

94
La Médée d'Euripide
Théâtre du Nouveau Monde, 1986
Photo: Robert Etcheverry

95
Les Célébrations
Atelier-Studio Kaléidoscope, 1984
Photo: Jean-Guy Thibodeau

95a
Le Ruban
Théâtre du Rideau Vert et Théâtre Français
du Centre National des Arts, 1986
Photo: Guy Dubois

lecture
À la lueur des projecteurs, isolés en couple sur un plateau rongé de perforations ou agglutinés en tas dans un coin de la scène, nos personnages lisent d'une façon théâtrale. Le journal froissé s'insère dans un quotidien dénaturé, les feuillets exotiques signalent la provenance des personnages de boulevard qui se pressent pour y lire le nouveau ressort qui les fera agir. Lue en famille, la lettre attendue est aux mains de la personne qui en incarne l'autorité: la mère pour le foyer québécois — son époux demeure à l'écart —, le père chaussé de lunettes pour l'américain. Si, dans l'affabulation non réaliste d'une démarche expérimentale, la lecture devient l'icône ironique d'une situation — le couple dans son salon — que l'on *déplace* de son lieu, dans le théâtre plus conventionnel, elle constitue un événement. Lettre et journal apportent des nouvelles décisives quant au sort de personnages qui leur sont soumis. Écriture venue d'en haut, d'un au-delà impossible à montrer, la page contient un mystère, un secret, dont la révélation attise les désirs, intensifie le drame ou la comédie.

95b
La Guerre, yes sir!
Théâtre du Nouveau Monde, 1970
Photo: André LeCoz

95c
Souvenirs de Brighton Beach
Compagnie Jean-Duceppe, 1986
Photo: André Panneton

96
Garden Party
Théâtre Expérimental de Montréal, 1976
Photo: Gilbert Duclos

imperturbables

Le formalisme, au théâtre expérimental, a souvent pris le visage de la froideur. Yeux noircis, visages blancs et cheveux gominés, évoluant dans des espaces stylisés d'une façon muette, éclairés par une lumière blafarde filtrée en rayons latéraux, les personnages demeurent de glace, enfouissent leur sourire sous un masque impassible et bougent avec la lenteur d'un cérémonial. Une fumée douteuse émane des concoctions proscrites qu'ils tiennent sans les boire, leurs membres se ploient en gestes artificiels pointant des clichés qu'ils réutilisent à d'autres fins. Plus de corps, plus de chair, plus d'émotion: coupé de sa présence matérielle et de sa pulsation émotive, leur théâtre énonce un parti pris radical, une mise au premier plan des codes de la représentation pour fouiller, derrière les apparences, les conventions qui font s'agiter les humains.

97
Dans la jungle des villes
Rallonge, 1981
Photo: Jean-Guy Thibodeau

97a
Ultraviolet
Opéra-Fête, 1986
Photo: Yves Dubé

97b
Le Système magistère
Opéra-Fête, 1985
Photo: Yves Dubé

97c
Le Titanic
Carbone 14, 1986
Photo: Yves Dubé

97d
Pain blanc
Carbone 14, 1983
Photo: Yves Dubé

phosphorescence
L'éclairage au néon est associé au monde moderne. Au théâtre, sa fluorescence frappe violemment et déréalise le visage de l'acteur de façon troublante, se heurte à la matière du décor. Par le néon, le texte prend forme de lumière et, posé sur le sol, le tube phosphorescent irradie et éclate, comme la bombe dans la tranchée. La lumière devient signe de cruauté, et l'éclairage outré manifeste autant le traumatisme psychologique que physique.

98
Vinci
Théâtre de Quat'Sous, 1986
Photo: Robert Laliberté

98a
La Médée d'Euripide
Théâtre du Nouveau Monde, 1986
Photo: Robert Etcheverry

98b
Les Belles-Soeurs
Théâtre du Rideau Vert, 1971
Photo: Daniel Kieffer

rayons x
Dans ses pleins feux, la lumière au théâtre éclaire la scène tout entière, en révèle les moindres détails et s'approprie l'espace. Réduite à un faisceau d'une intensité variable, elle abstrait un personnage ou un décor, excluant les autres signes de la représentation. Soutien de l'émotion théâtrale, la lumière latérale qui éclaire la nourrice de Médée et les femmes du choeur alourdit l'atmosphère de la scène, en réduisant l'espace à une bande lumineuse habitée par des femmes accablées par la douleur d'une autre. Dans la cuisine des *Belles-Soeurs*, l'éclairage isole une femme pour donner lieu et sens à son irréaliste monologue intérieur.

99
L'Idiot
Groupe de la Veillée, 1983
Photo: Robert Etcheverry

100
La Trilogie des dragons
Théâtre Repère, 1987
Photo: Daniel Kieffer

CRÉDITS DES PRODUCTIONS

a
Juliette Béliveau au Théâtre National.
Photo tirée du livre *Juliette Béliveau*, de Denyse Martineau (Éditions du Jour).
Photo: Famous Studio.

b
Emma Albani, prima donna, 1915.
Archives publiques du Canada, Collection Ducharme, PA-149173.
Photographe inconnu.

c
Fred Barry dans *le Roi de Rome* (Robert de Flers et G.A. de Caillavet).
Collection Ferdinand F. Biondi.
Photographe inconnu.

d
Les Fourberies de Scapin (Molière).
Mise en scène: Daniel Roussel. Costumes: François Barbeau.
Sur la photo: Normand Chouinard (Scapin), Yves Jacques (Léandre), Marc Labrèche (Octave).
Photo de répétition.
Théâtre du Nouveau Monde, octobre 1986.
Photo: Robert Etcheverry.

1
Macbeth (William Shakespeare; traduction québécoise: Michel Garneau).
Mise en scène: Roger Blay. Décors: Claude Goyette. Costumes: Claude Goyette et Dominique Gagnon. Éclairages: Dominique Gagnon.
Sur la photo: Gilles Renaud (Macbeth).
Théâtre de la Manufacture, octobre 1978.
Photo: Anne de Guise.

2
Othello (William Shakespeare; traduction: Jean-Louis Roux).
Mise en scène: Olivier Reichenbach. Décors: Claude Goyette. Costumes: Mérédith Caron. Éclairages: Michel Beaulieu.
Sur la photo: Gérard Poirier (Iago), Raymond Bouchard (Othello).
Théâtre du Nouveau Monde, mai 1986.
Photo: Robert Etcheverry.

2a
Hamlet-Machine (Heiner Müller).
Conception scénographique et mise en scène: Gilles Maheu. Réalisation: Luc Proulx. Costumes: Georges Lévesque. Éclairages: Martin St-Onge.
Sur la photo: Rodrigue Proteau (Hamlet).
Carbone 14, avril 1987.
Photo: Yves Dubé.

3
Britannicus (Jean Racine).
Mise en scène: André Brassard. Costumes: François Barbeau. Décors: Claude Goyette. Éclairages: Pierre-René Goupil.
Sur la photo: Normand Daoust (Néron), Luce Guilbeault (Agrippine).
Nouvelle Compagnie Théâtrale et Théâtre Français du Centre National des Arts, janvier 1983.
Photo: André LeCoz.

4
Iphigénie (Jean Racine).
Mise en scène: Georges Groulx. Décors et costumes: François Barbeau, assisté de Lydia Randolph. Éclairages: Gatien Payette.
Sur la photo: Gilles Pelletier (Agamemnon), Denise Pelletier (Clytemnestre), Françoise Graton (Iphigénie), Guy Monarque, Pierre Dupuis (deux gardes), Ronald France (Eurybate).
Nouvelle Compagnie Théâtrale, février 1964.
Photo: André LeCoz.

5
Les Précieuses ridicules (Molière).
Mise en scène: Jean Coutu. Décors, costumes et éclairages: Robert Prévost.
Sur la photo: Jean Coutu (Mascarille), Nathalie Naubert (Magdelon), Angèle Coutu (Cathos).
Photo publicitaire.
Théâtre du Nouveau Monde, janvier 1976.
Photo: André LeCoz.

5a
Ti-Jésus, bonjour (Jean Frigon).
Mise en scène: Fernand Déry. Décors: Marc Saint-Jean. Costumes: Ghyslaine Ouellet. Éclairages: Mario Bourdon.
Théâtre du Nouveau Monde, octobre 1977.
Photo: Charles Meunier.

6
Le Légataire universel (Jean-François Regnard).
Mise en scène: Yvette Brind'Amour. Décors et éclairages: Robert Prévost. Costumes: François Barbeau.
Sur la photo: Gaétan Labrèche (Pasquin), Edgar Fruitier (Géronte), Lénie Scoffié (Lisette).
Théâtre du Rideau Vert, septembre 1980.
Photo: Guy Dubois.

7
Le Malade imaginaire (Molière).
Mise en scène: Lorraine Pintal. Décors et éclairages: Michel Demers. Costumes: François Barbeau.
Sur la photo: Michel Forget (Argan), Nicole Filion (Toinette).
Théâtre Populaire du Québec, septembre 1982.
Photo: André LeCoz.

8
Le Malade imaginaire (Molière).
Mise en scène: Jean Gascon. Décors et costumes: Robert Prévost.
Sur la photo: Guy Hoffmann (Argan).
Théâtre du Nouveau Monde, novembre 1956.
Archives publiques du Canada, Collection T.N.M., PA-070300.
Photo: Henri Paul.

8a
L'Avare (Molière).
Mise en scène: Jean Gascon. Décors: Jacques Pelletier. Costumes: Marie-Laure Cabana.
Sur la photo: Jean Gascon (Harpagon).
Théâtre du Nouveau Monde, octobre 1951.
Archives publiques du Canada, Collection T.N.M., PA-070577.
Photo: Henri Paul.

9
L'Avare (Molière).
Mise en scène: Jean Gascon.
Sur la photo: Jean Gascon (Harpagon).
Théâtre du Nouveau Monde, novembre 1963.
Archives publiques du Canada, Collection T.N.M., PA-071936.
Photo: Henri Paul.

9a
L'Avare (Molière).
Mise en scène: Olivier Reichenbach. Décors: Guy Neveu. Costumes: François Barbeau. Éclairages: Michel Beaulieu.
Sur la photo: Luc Durand (Harpagon).
Théâtre du Nouveau Monde, septembre 1985.
Photo: Robert Etcheverry.

9b
Entrée du Théâtre St-Denis, septembre 1942.
Bibliothèque nationale du Québec, Fonds Claude-Henri Grignon, 246/37/92.
Photographe inconnu.

10
Les Paysanneries (Claude-Henri Grignon).
Sur la photo: Hector Charland («l'Avare» Séraphin). 1942.
Bibliothèque nationale du Québec, Fonds Claude-Henri Grignon, 246/37/94.
Photographe inconnu.

11
Le Médecin des pauvres (Xavier de Montépin).
Mise en scène: Julien Daoust.
Sur la photo: Germaine Giroux.
Théâtre Canadien, février 1911.
Collection Elzire Giroux.
Photo: E. Lactance Giroux.

11a
Jeanne la maudite (Julien Daoust, d'après une oeuvre d'Adolphe D'Ennery).
Mise en scène: Julien Daoust.
Sur la photo: Germaine Giroux, Eugénie Verteuil.
Théâtre Canadien, février 1914.
Collection Elzire Giroux.
Photo: E. Lactance Giroux.

12
La Passion.
Sur la photo, au centre, le Christ: Jean-Paul Kingsley.
Théâtre Canadien, semaine sainte, 1945-1946.
Collection Jean-Paul Kingsley.
Photo: Pierre Sawaya.

12a
La Passion de Notre-Seigneur (Texte établi par A. Legault, c.s.c.).
Mise en scène: Père Émile Legault, c.s.c. Décors et costumes: Robert Prévost. Éclairages: Georges Faniel.
Compagnons de saint Laurent.
Archives des Pères Sainte-Croix de Montréal, APSCM-3Z86.
Photo: Camille Casavant.

12b
Ultraviolet (texte et mise en scène: Pierre-A. Larocque).
Scénographie: Marie Parée, assistée de Michel Boyer.
Costumes: Nicole Clément et Richard Lalonde.
Éclairages: Marc Parent. Accessoires: Sylvie Boucher.
Opéra-Fête, avril 1986.
Photo: Yves Dubé.

12c
Un pays dont la devise est je m'oublie, première version (texte et mise en scène: Jean-Claude Germain).
Décors et éclairages: Claude-André Roy. Costumes: Yvon Duhaime.
Sur la photo: Marc Legault (Berthelot Petitboire).
Théâtre d'Aujourd'hui, mars 1976.
Photo: Daniel Kieffer.

12d
À toi, pour toujours, ta Marie-Lou (Michel Tremblay).
Mise en scène: André Montmorency. Décors, costumes et éclairages: Michel Demers.
Sur la photo: Pierre Dufresne (Léopold), Nicole Leblanc (Marie-Lou).
Théâtre Populaire du Québec, mars 1983.
Photo: André LeCoz.

12e
Vers la terre canadienne (Henry Deyglun).
Mise en scène: Fred Barry.
Pièce créée au Théâtre du Parc à Bruxelles, en 1937, et jouée à Montréal en 1938.
Sur la photo: Albert Duquesne, Henry Deyglun, Mimi d'Estée.
Archives publiques du Canada, Collection Henry Deyglun, PA-149168.
Photo: Famous Studio.

12f
The Girl in the Golden West (texte, mise en scène et scénographie: David Belasco).
Production new-yorkaise présentée en tournée à Montréal.
Princess, mai 1911.
Photo: New York Stage.

12g
Klondyke (Jacques Languirand).
Mise en scène: Jean Gascon. Décors et costumes: Robert Prévost.
Sur la photo: Victor Désy (Henderson).
Théâtre du Nouveau Monde, février 1965.
Archives publiques du Canada, Collection T.N.M., PA-071996.
Photo: Henri Paul.

12h
«Le mariage d'Aurore», *Fridolinons 43* (Gratien Gélinas).
Mise en scène: Gratien Gélinas et Fred Barry. Décors: Jacques Pelletier. Costumes: Marie-Laure Cabana.
Sur la photo: Juliette Huot (Aurore), Fred Barry (monsieur Rochon), Amanda Alarie (madame Rochon).
Monument National, février 1943.
Archives publiques du Canada, Collection Bibliothèque municipale de Montréal, PA-160767.
Photo: Henri Paul.

13
Tit-Coq (Gratien Gélinas).
Mise en scène: Gratien Gélinas. Décors: Jacques Pelletier. Costumes: Marie-Laure Cabana.
Sur la photo: Gratien Gélinas (Tit-Coq), Muriel Guilbault (Marie-Ange).
Comédie Canadienne (Gesù), 1948 (reprise de la création de mai 1948 au Monument National).
Centre d'Études québécoises, Université de Montréal, Fonds Jacques Pelletier, photo 93.
Photo: Henri Paul.

14
Aurore, l'enfant martyre (Léon Petitjean et Henri Rollin).
Mise en scène: Jean Grimaldi. Décors: Guy Richer.
Sur la photo: Paul Desmarteaux (Télesphore), Thérèse McKinnon (Aurore), Henriette Berthault (la marâtre).
Troupe de Jean Grimaldi, 1949.
Collection Jean Grimaldi.
Photographe inconnu.

15
Je suis un criminel (Pierre Dagenais).
Adaptation dramatique de la tragédie du Sault-au-Cochon en 1949.
Sur la photo: Berthe de Varennes (Hélène), Jean-Paul Kingsley (Julien).
Théâtre Arcade, 1950.
Collection Jean-Paul Kingsley.
Photographe inconnu.

16
Escale aux tropiques (Pierre Dagenais).
Mise en scène, décors et costumes: Raymond Royer.
Sur la photo: Raymond Royer (Soubal), Julien Bessette (Tsé-Tsé).
Théâtre Arcade, 1955.
Collection Jean-Paul Kingsley.
Photographe inconnu.

16a
Gilles Vachon, incendiaire (Siegfried Gagnon).
Mise en scène: Mario Boivin. Décors: David Gaucher.
Costumes: Mireille Vachon. Éclairages: Annick Nantel.
Accessoires: Lucie Langlois.
Sur la photo: Pipo Gagnon (Gilles Vachon), Sophie Dansereau (Céline Simard).
Tess Imaginaire, août 1987.
Photo: Siegfried Gagnon/Denis Romanoff.

17
Un simple soldat (Marcel Dubé).
Mise en scène: Jacques Létourneau. Décors: Jean-Claude Rinfret. Costumes: Marie-Andrée Lainé.
Sur la photo: Gilles Pelletier (Joseph), Ovila Légaré (Édouard).
Comédie Canadienne, avril 1967.
Photo: André LeCoz.

18
Une maison, un jour... (Françoise Loranger).
Mise en scène: Georges Groulx. Décors: Jean-Claude Rinfret. Costumes: François Barbeau.
Sur la photo: André Cailloux (Grand-père), Yvette Brind'Amour (Dominique), Monique Miller (Catherine), Gérard Poirier (Michel), Geneviève Bujold (Nathalie), Benoît Girard (Vincent).
Théâtre du Rideau Vert, février 1965.
Photo: Guy Dubois.

19
Charbonneau et le Chef (John Thomas McDonough; adaptation: Paul Hébert et Pierre Morency).
Mise en scène: Paul Hébert. Décors: Michel Demers.
Costumes: François Barbeau. Éclairages: Luc Prairie.
Sur la photo: Jean Duceppe (Maurice Duplessis), Michel Dumont (Mgr Charbonneau).
Compagnie Jean-Duceppe, février 1986.
Photo: André Panneton.

20
Les Belles-Soeurs (Michel Tremblay).
Mise en scène: André Brassard. Décors: Réal Ouellette. Costumes: François Barbeau.
Sur la photo: Sylvie Heppel (Yvette Longpré), Denise de Jaguère (DesNeiges Verrette), Janine Sutto (Lisette de Courval), Marthe Choquette (Marie-Ange Brouillette), Germaine Giroux (Thérèse Dubuc), Carmen Tremblay (Olivine Dubuc), Anne-Marie Ducharme (Angéline Sauvé), Denise Filiatrault (Rose Ouimet), Lucille Bélair (Gabrielle Jodoin), Denise Proulx (Germaine Lauzon), Germaine Lemyre (Rhéauna Bibeau), Josée Beauregard (Ginette Ménard), Odette Gagnon (Linda Lauzon), Rita Lafontaine (Lise Paquette), Luce Guilbeault (Pierrette Guérin).
Théâtre du Rideau Vert, août 1969 (reprise).
Photo: Guy Dubois.

20a
Aujourd'hui peut-être (Serge Sirois).
Mise en scène et décors: Paul Buissonneau.
Costumes: François Barbeau.
Sur la photo: Carmen Tremblay (Alice), Odette Gagnon (Jacqueline), Reynald Bouchard (Robert), Suzanne Langlois (Fleurinette).
Théâtre de Quat'Sous, novembre 1972.
Photo: André Cornellier.

21
La Mise à mort dla miss des miss (Jean-Claude Germain).
Mise en scène: Jean-Claude Germain. Dispositif scénique: Jean Bertrand. Éclairages: Jean Duhaime.
Costumes: Réal Ouellette.
Sur la photo: Louisette Dussault, Monique Rioux, Gilles Renaud, Nicole Leblanc.
Enfants de Chénier et Théâtre du Même Nom, octobre 1970.
Photo: Daniel Kieffer.

22
Les oranges sont vertes (Claude Gauvreau).
Mise en scène: Jean-Pierre Ronfard. Scénographie et éclairages: Jean-Paul Mousseau. Costumes: Lydia Randolph.
Sur la photo: Robert Lalonde (Cochebenne), Robert Gravel (Mougnan), Michelle Rossignol (Cégestelle).
Théâtre du Nouveau Monde, janvier 1972.
Photo: André LeCoz.

23
Les Grands Soleils (Jacques Ferron).
Mise en scène: Albert Millaire. Décors: Mark Negin.
Éclairages: Mark Negin et Pierre Goupil. Costumes: Gilles-André Vaillancourt.
Sur la photo: Guy L'Écuyer (Mithridate) et Jean Perraud (François Poutré), Yves Létourneau (Félix Poutré), Bernard Lapierre (le curé), Jean-Marie Lemieux (Jean-Olivier Chénier).
Théâtre du Nouveau Monde, mai 1968.
Photo: André LeCoz.

24
La Guerre, yes sir! (Roch Carrier).
Mise en scène: Albert Millaire. Décors, costumes et éclairages: Mark Negin.
Sur la photo: Lucille Cousineau (Mère Corriveau), Roger Garand (Père Corriveau).
Théâtre du Nouveau Monde, novembre 1970.
Photo: André LeCoz.

25
La Sagouine (Antonine Maillet).
Mise en scène: Eugène Gallant. Costumes: Rita Scalabrini.
Sur la photo: Viola Léger (la Sagouine).
Théâtre du Rideau Vert, octobre 1972.
Photo: Guy Dubois.

25a
Évangéline (d'après H.W. Longfellow).
Sur la photo: Antoinette Giroux.
Collection Elzire Giroux.
Photo: E. Lactance Giroux.

25b
Le Temps d'une vie (Roland Lepage).
Mise en scène: André Pagé. Décors: Chantal Pepin. Costumes: François Laplante. Éclairages: Claude-André Roy.
Sur la photo: Gilbert Lepage (Charles-Édouard Guillemette), Muriel Dutil (Rosanna Guillemette).
Théâtre d'Aujourd'hui, août 1975.
Photo: Daniel Kieffer.

26
C'était avant la guerre à l'Anse à Gilles (Marie Laberge).
Mise en scène: Lorraine Pintal. Scénographie: Pierre Labonté. Costumes: Michel-André Thibault.
Sur la photo: Christiane Raymond (Marianna), Michel Daigle (Honoré), Monique Spaziani (Rosalie).
Compagnie Jean-Duceppe, automne 1981.
Photo: André Panneton.

27
Vie et mort du Roi Boiteux (texte et mise en scène: Jean-Pierre Ronfard).
Décors, éclairages, costumes et accessoires: l'équipe de comédiens.
Sur la photo: Michelle Allen (Leila), Luc Morissette (François Premier).
Nouveau Théâtre Expérimental, juillet 1981.
Photo: Hubert Fielden.

27a
Vies privées (texte et mise en scène: Lorne Brass, Céline Paré et Jerry Snell, d'après une idée originale de Lorne Brass).
Sur la photo: Céline Paré, Lorne Brass.
Enfants du Paradis, décembre 1981.
Photo: Yves Dubé.

28
Je ne t'aime pas (Yves Desgagnés et Louise Roy).
Mise en scène: Yves Desgagnés. Scénographie: Martin Ferland. Éclairages: Kiki Nesbitt.
Sur la photo: Hélène Mercier (Patricia), Normand Lévesque (Louis).
Médium Médium, mai 1984.
Photo: Robert Etcheverry.

28a
Duo pour voix obstinées (Maryse Pelletier).
Mise en scène: François Barbeau. Décors et accessoires: André Hénault. Costumes: Jean-Yves Cadieux. Éclairages: Jocelyn Proulx.
Sur la photo: Paul Savoie (Philippe), Hélène Mercier (Catherine).
Théâtre d'Aujourd'hui, janvier 1985.
Photo: Daniel Kieffer.

28b
Mère Courage et ses enfants (Bertolt Brecht).
Mise en scène: John Hirsch. Décors: Eoin Spott. Costumes: Robert Doyle.
Sur la photo: Dyne Mousso (Catherine).
Théâtre du Nouveau Monde, janvier 1966.
Archives publiques du Canada, Collection T.N.M., PA-072151.
Photo: Henri Paul.

29
Gin Game (Donald L. Coburn; traduction et adaptation: Albert Millaire).
Mise en scène: Daniel Roussel. Décors: Marcel Dauphinais. Costumes: François Barbeau. Éclairages: Michel Beaulieu.
Sur la photo: Béatrice Picard (Alphonsine Drolet), Jean Duceppe (William Martin).
Compagnie Jean-Duceppe, mars 1980.
Photo: François Renaud.

30
Mère Courage et ses enfants (Bertolt Brecht).
Mise en scène: John Hirsch. Décors: Eoin Spott. Costumes: Robert Doyle.
Sur la photo: Denise Pelletier (Anna Fierling) et Jean Gascon (le cuisinier).
Théâtre du Nouveau Monde, janvier 1966.
Archives publiques du Canada, Collection T.N.M., PA-072138.
Photo: Henri Paul.

31
Albertine, en cinq temps (Michel Tremblay).
Mise en scène: André Brassard. Décors: Guy Neveu. Éclairages: Michel Beaulieu. Costumes: François Barbeau.
Sur la photo: Gisèle Schmidt (Albertine à 60 ans), Amulette Garneau (Albertine à 50 ans).
Théâtre du Rideau Vert et Théâtre Français du Centre National des Arts, novembre 1984.
Photo: Guy Dubois.

32
Madame Butterfly (Giacomo Puccini).
Sur la photo: madame Ferrabini (Madame Butterfly), Germaine Giroux enfant.
His Majesty's, décembre 1910.
Collection Elzire Giroux.
Photo: E. Lactance Giroux.

32a
Sur la photo: Elzéar Hamel et Germaine Giroux.
Fonds Giroux (responsable: Estelle Piquette-Gareau).
Photo: E. Lactance Giroux.

32b
La Vengeance d'une orpheline russe (Henri Rousseau, le Douanier).
Mise en scène: Jean-Louis Roux et Jean Gascon.
Sur la photo: Jean Gascon (le général Bosquet), Louise Marleau (l'orpheline russe).
Théâtre du Nouveau Monde, août 1963.
Archives publiques du Canada, Collection T.N.M., PA-071867.
Photo: Henri Paul.

33
Sarah et le cri de la langouste (John Murrell; adaptation française: Georges Wilson).
Mise en scène: Michèle Magny. Scénographie: François Laplante. Éclairages: Michel Beaulieu.
Sur la photo: Françoise Faucher (Sarah Bernhardt), Benoît Girard (Georges Pitou, son secrétaire).
Café de la Place, septembre 1986.
Photo: André LeCoz.

33a
Divine Sarah (Jacques Beyderwellen).
Mise en scène: Louis-Georges Carrier. Décors et costumes: François Barbeau.
Sur la photo: Denise Pelletier (Sarah Bernhardt).
Centaur, mars 1975.
Photo: Basil Zarov.

33b
Juliette Béliveau en 1915, au Théâtre Chanteclerc.
Photo tirée du livre *Juliette Béliveau*, de Denyse Martineau (Éditions du Jour).
Photographe inconnu.

33c
Le Titanic (Jean-Pierre Ronfard).
Mise en scène: Gilles Maheu et Lorne Brass.
Scénographie: Carbone 14, supervisé par Luc Proulx.
Éclairages: Martin St-Onge. Costumes: Yvan Gaudin, assisté de Madeleine Tremblay.
Sur la photo: Marthe Turgeon (Sarah Bernhardt).
Carbone 14, mars 1986 (reprise).
Photo: Yves Dubé.

33d
Les Hauts et les bas dla vie d'une diva: Sarah Ménard par eux-mêmes (texte et mise en scène: Jean-Claude Germain).
Dispositif scénique et éclairages: Claude-André Roy.
Costumes: Diane Paquet.
Sur la photo: Nicole Leblanc (Sarah Ménard).
Théâtre d'Aujourd'hui, novembre 1975 (reprise).
Photo: Daniel Kieffer.

33e
La Grandeur du geste et des passions.
Textes de Hans Heins Ewers (*l'Araignée*), Arnould Moreaux (*l'Anatomie artistique*) et Jean Rostand (*Bestiaire d'amour*).
Conception et mise en scène: Suzanne Lantagne.
Conception visuelle: Danielle Trépanier. Éclairages: Martin St-Onge.
Sur la photo, au premier plan: Suzanne Lantagne.
Groupe Le Pool, octobre 1985.
Photo: Gilberto de Nobile.

33f
Marius (Marcel Pagnol).
Mise en scène: Pierre Dagenais. Décors: Jacques Pelletier. Costumes: Marie-Laure Cabana.
Sur la photo: Pierre Dagenais (Marius), Camille Ducharme (monsieur Brun), Roland Chenail (Panisse), Janine Sutto (Fanny), Ovila Légaré (César).
Équipe, mai 1944.
Collection Janine Sutto.
Photo: Henri Paul.

33g
Tessa ou la Nymphe au coeur fidèle (Margaret Kennedy; adaptation: Jean Giraudoux).
Mise en scène: Pierre Dagenais. Décors: Jean Choquet.
Sur la photo: Muriel Guilbault, Yvette Brind'Amour, Janine Sutto (Tessa).
Équipe, octobre 1943.
Collection Janine Sutto.
Photo: Henri Paul.

34
Le Moine (Matthew Gregory Lewis, «raconté» par Antonin Artaud; adaptation et mise en scène: Jacques Crête).
Sur la photo, au centre: Roger Blay.
Eskabel, mai 1985.
Photo: Yves Dubé.

35
En attendant Godot (Samuel Beckett).
Mise en scène: André Brassard. Décors: Germain. Costumes: François Barbeau. Éclairages: Gatien Payette.
Sur la photo: Jacques Godin (Vladimir), Gérard Poirier (Estragon).
Nouvelle Compagnie Théâtrale, décembre 1971.
Photo: André LeCoz.

36
Fin de partie (Samuel Beckett).
Mise en scène: Jacques Zouvi. Costumes: François Barbeau. Maquillages: Lise Gervais. Décors et éclairages: Jean-Paul Mousseau.
Sur la photo: Jacques Godin (Hamm), Jean-Louis Millette (Clov).
Égrégore, 1960.
Collection Françoise Berd.
Photographe inconnu.

37
Le Malentendu (Albert Camus).
Mise en scène: Yvette Brind'Amour. Décors: Hugo Wuetrich. Costumes: François Barbeau.
Sur la photo: Yvette Brind'Amour (Martha), Marthe Thiéry (la Mère), Gérard Poirier (Jan).
Théâtre du Rideau Vert, novembre 1967.
Photo: André LeCoz.

37a
Antigone (Jean Anouilh).
Mise en scène: François Cartier. Décors et costumes: Solange Legendre.
Sur la photo: Angèle Coutu (Antigone), Jean-Marie Lemieux (Créon).
Théâtre Populaire du Québec, 1968.
Photo: André LeCoz.

38
Les Paravents (Jean Genet).
Mise en scène: André Brassard. Décors: Martin Ferland. Costumes: Louise Jobin, assistée de Jacqueline Rousseau. Éclairages: Michel Beaulieu. Accessoires: Richard Lacroix, assisté de Marc-André Coulombe.
Sur la photo: Ginette Morin (Malika), Andrée Lachapelle (Warda).
Théâtre Français du Centre National des Arts et Théâtre du Nouveau Monde, mars 1987.
Photo: Mirko Buzolitch.

38a
Piège pour un homme seul (Robert Thomas).
Mise en scène: Guy Hoffmann. Décors: Jacques Pelletier.
Sur la photo: Ginette Letondal, Jean-Louis Roux.
Théâtre du Nouveau Monde, octobre 1962.
Archives publiques du Canada, Collection T.N.M., PA-70565.
Photo: Henri Paul.

38b
Something Red (Tom Walmsley; traduction: Ronald Guèvremont).
Mise en scène: Daniel Valcourt. Décors et costumes: Anne-Marie Tremblay. Éclairages: Claude Perron.
Sur la photo: Jean-Denis Leduc (Robert), Danielle Lépine (Élizabeth).
Théâtre de la Manufacture, mars 1985.
Photo: Mirko Buzolitch.

39
Des souris et des hommes (John Steinbeck; traduction: Michel Dumont et Marc Grégoire).
Mise en scène: François Barbeau. Décors: André Hénault. Costumes: Anne Duceppe. Éclairages: Luc Prairie.
Sur la photo: Michel Dumont (Lennie), Hubert Loiselle (George).
Compagnie Jean-Duceppe, février 1987.
Photo: François Renaud.

39a
La Mort d'un commis voyageur (Arthur Miller; traduction: Michel Dumont).
Mise en scène: Claude Maher. Décors: Denis Rousseau. Costumes: François Barbeau. Éclairages: Guy Simard.
Sur la photo: Béatrice Picard (Linda), Jean Duceppe (Willy Loman).
Compagnie Jean-Duceppe, février 1983.
Photo: André Panneton.

39b
Les Sorcières de Salem (Arthur Miller).
Mise en scène: Albert Millaire. Décors et costumes: Robert Prévost. Éclairages: Yves D'Allaire.
Sur la photo: Marie-Anik (Eva Barrow), Micheline Herbart (Suzanne Walcotts), Marie-Josée d'Azur (Tituba), Marthe Mercure (Mary Warren), Isabelle Avril (Betty Parris), Monique Joly (Abigael Williams), Rita Imbeault (Mercy Lewis), Nicole Lépine (Jenny).
Théâtre du Nouveau Monde, printemps 1966.
Archives publiques du Canada, Collection T.N.M., PA-072120.
Photo: Henri Paul.

40
Les Trois Soeurs (Anton Tchekhov).
Mise en scène: I.M. Raevsky, du Théâtre d'Art de Moscou. Décors: Alexis Chiriaeff. Costumes: François Barbeau.
Sur la photo: Hélène Loiselle (Olga), Yvette Brind'Amour (Macha), Nathalie Naubert (Irina).
Théâtre du Rideau Vert, printemps 1966.
Photo: Guy Dubois.

41
La Quadrature du cercle (Valentin Kataiev).
Mise en scène: Jan Doat. Décors et costumes: Jean-Claude Rinfret.
Sur la photo: Yves Létourneau (Abram), Gisèle Schmidt (Ludmilla), Monique Lepage (une visiteuse), Monique Aubry (une visiteuse), Louis de Santis (un visiteur), Yvon Dufour (un visiteur), Vonny (Tonia Kouznietzova), Jacques Létourneau (Émiliane).
Théâtre-Club, avril 1958.
Collection Monique Lepage.
Photo: Marce.

42
Chat en poche (Georges Feydeau).
Mise en scène: Gérard Poirier. Décors: Guy Rajotte. Costumes: François Barbeau.
Sur la photo: Gaétan Labrèche, Jean Faubert, Françoise Faucher, André Montmorency, Germaine Giroux, André Cailloux, Hélène Rollan, Édouard Woolley.
Théâtre du Rideau Vert, printemps 1966.
Photo: Guy Dubois.

42a
Le Ruban (Georges Feydeau).
Mise en scène: André Brassard. Décors: François Seguin. Costumes: François Barbeau. Éclairages: Louis Saraillon.
Sur la photo: Élise Guilbault (Victoire), André Montmorency (Rasanville).
Théâtre du Rideau Vert et Théâtre Français du Centre National des Arts, janvier 1986.
Photo: Guy Dubois.

43
Broue (Claude Meunier, Jean-Pierre Plante, Louis Saia, Francine Ruel, Michel Côté, Marcel Gauthier et Marc Messier).
Mise en scène: Michel Côté, Marcel Gauthier et Marc Messier.
Sur la photo: Marc Messier, Michel Côté.
Voyagements, automne 1980 (reprise).
Photo: André Panneton.

44
Trois heures du matin.
Sur la photo: Jean Grimaldi, Olivier Guimond, Manda Parent.
Collection Théâtre des Variétés.
Photographe inconnu.

45
Trois heures du matin.
Sur la photo: Olivier Guimond.
Collection Théâtre des Variétés.
Photo: Robert.

45a
Le Système magistère (conception, texte, mise en scène et projections: Yves Dubé).
Éclairages: Jean-Marie Voutron. Effets spéciaux: Miguel Fillion. Effets spéciaux mécaniques: Michel Boyer. Accessoires: Alain Dessureault.
Sur la photo: Louis Morin (Gérard).
Opéra-Fête, novembre 1985.
Photo: Yves Dubé.

46
La Déprime (Denis Bouchard, Rémy Girard, Raymond Legault et Julie Vincent).
Complice artistique: Isabelle Doré. Scénographie: Bernard Boissonneault. Éclairages: Bernard Boissonneault et Luc Prairie. Collaboration aux costumes et aux accessoires: Fabienne Dor.
Sur la photo: Rémy Girard.
Klaxon, février 1983 (reprise).
Photo: Jean-Guy Thibodeau.

46a
La Californie (création collective).
Conception, texte, mise en scène, scénographie, costumes et éclairages: le collectif.
Sur la photo: Jean-Pierre Ronfard, Hélène Mercier.
Nouveau Théâtre Expérimental, février 1984.
Photo: Gilbert Duclos.

46b
Noé (Claude Sauvé).
Mise en scène: Gilbert Lepage. Décors: Raymond Corriveau. Costumes: François Barbeau.
Sur la photo: Daniel Simard (Karl Marx), Véronique Le Flaguais (la Reine), Marc Hébert (Hitler), Guy Vauthier (le Christ), René Gagnon (Krishna), Ginette Bellavance.
Théâtre du Rideau Vert, décembre 1976.
Photo: Guy Dubois.

47
Vendredi soir (Jean-Pierre Bergeron et Ghyslain Tremblay).
Éclairages: Claude-André Roy.
Sur la photo: Ghyslain Tremblay (Bruno Morrissette), Jean-Pierre Bergeron (sa mère).
Productions Théâtre Libre et Théâtre d'Aujourd'hui, janvier 1978 (reprise).
Photo: Jean-Guy Thibodeau.

48
Bain public (Jocelyne Beaulieu, Louise Bombardier, François Camirand, Anne Caron, René Richard Cyr, André Lacoste, Claude Poissant et Denis Roy).
Idée originale: Geneviève Notebaert. Mise en scène: René Richard Cyr. Décors et costumes: Danièle Lévesque. Éclairages: Lou Arteau. Perruques et coiffures: Pierre David.
Sur la photo: Louise Bombardier, René Richard Cyr, Anne Caron, Denis Roy.
Théâtre Petit à Petit, février 1986.
Photo: Martin L'Abbé.

49
«Le troisième front du rire», *Fridolinons 43* (Gratien Gélinas).
Mise en scène: Gratien Gélinas et Fred Barry. Décors: Jacques Pelletier. Costumes: Marie-Laure Cabana.
Sur la photo: Juliette Béliveau (chefesse des CWACs), Gratien Gélinas (Fridolin — général Triboulet de Canon), Fred Barry (maréchal des Folies).
Monument National, février 1943.
Archives publiques du Canada, Collection Bibliothèque municipale de Montréal, PA-160764.
Photo: Henri Paul.

50
«L'assaut», *Sur le champ de bataille.*
Production musicale montée par la troupe de Jean Grimaldi en 1948.
Collection Jean Grimaldi.
Photo: Pierre Sawaya.

51
Nature morte (Emily Mann; adaptation: Pierre Laville).
Mise en scène: Yves Desgagnés. Décors et éclairages: Martin Ferland. Costumes: Lise Bédard.
Sur la photo: Hélène Mercier (Cheryl).
Théâtre de Quat'Sous, mars 1985.
Photo: Robert Laliberté.

51a
Le Rail (conception et mise en scène: Gilles Maheu).
Recherche et conception de l'éclairage: Pierre-René Goupil.
Sur la photo: Jerry Snell, Gilles Maheu.
Carbone 14, mai 1984.
Photo: Yves Dubé.

51b
La Trilogie des dragons (Marie Brassard, Jean Casault, Lorraine Côté, Marie Gignac, Robert Lepage et Marie Michaud).
Mise en scène: Robert Lepage. Scénographie: Jean-François Couture et Gilles Dubé. Éclairages: Lucie Bazzo, Louis-Marie Lavoie et Robert Lepage.
Sur la photo: Jean Casault (le gardien du parking).
Théâtre Repère et Festival de théâtre des Amériques, juin 1987 (version intégrale).
Photo: François Truchon.

51c
The Girl in the Golden West (texte, mise en scène et scénographie: David Belasco).
Sur la photo: Lilian Kenbel, Charles Mackay.
Production new-yorkaise présentée au Princess, mai 1911.
Photo: New York Stage.

51d
Gertrude Laframboise, agitatrice (Pierre Kattini-Malouf).
Mise en scène: Bernard Martineau. Décors: Pierre Perrault. Éclairages: Roger Ponce.
Atelier de la Nouvelle Compagnie Théâtrale et Centre d'essai des auteurs dramatiques, octobre 1978.
Photo: Michel Brais.

51e
Orgasme 1: le Jardin (création collective).
Mise en scène: Jean-Pierre Ronfard.
Sur la photo: Olga Claing, Yves Desgagnés, Johanne Delcourt, Normand Brathwaite, Jean-Pierre Ronfard.
Théâtre Expérimental de Montréal, juin 1978.
Photo: Gilbert Duclos.

52
Le Rail (*work in progress* conçu et dirigé par Gilles Maheu à partir de *l'Hôtel blanc*, de D.M. Thomas, et de *In the Belly of the Beast*, de Jack Henry Abbott).
Recherche et conception de l'éclairage: Pierre-René Goupil. Costumes: madame Morin.
Sur la photo: Ginette Morin, Olga Claing.
Carbone 14, mai 1984.
Photo: Yves Dubé.

52a
Les Belles-Soeurs (Michel Tremblay).
Mise en scène: André Brassard.
Sur la photo: Michelle Rossignol (Pierrette Guérin).
Théâtre du Rideau Vert, mai 1971 (reprise).
Photo: Daniel Kieffer.

52b
Jésus, Fils de Marie (Loïc Le Gouriadec).
Sur la photo: Marthe Thiéry (la Vierge).
Collection Jean-Paul Kingsley.
Photographe inconnu.

52c
«Un «bee» de tricot dans le sixième rang», *Fridolinons 43* (Gratien Gélinas).
Sur la photo: Sheila Barrie, Manon Côté, Gloria Gagné, Muriel Glass, Jacqueline Hébert, Nancy Holmes, Patsy Lacroix, Liliane Massé, Nancy Saunders, Estelle Shepherd.
Monument National, 1943.
Archives publiques du Canada, Collection Bibliothèque municipale de Montréal, PA-160770.
Photo: Henri Paul.

52d
Beau Monde.
Mise en scène: Jean Asselin. Décors: Michel Catudal. Costumes: Louise Despatie. Éclairages: Maurice Roy.
Sur la photo: Minda Bernstein, Suzanne Lantagne, Jocelyne Lemieux, Françoise Nadon, Danielle Trépanier, Francine Alepin.
Omnibus, mars 1982.
Photo: Pierre Desjardins.

53
La Lumière blanche (texte et mise en scène: Pol Pelletier).
Scénographie: Ginette Noiseux. Éclairages: Michel Beaulieu et Ginette Noiseux.
Sur la photo: Pol Pelletier (Torregrossa).
Théâtre Expérimental des Femmes et Théâtre d'Aujourd'hui, mai 1985 (reprise).
Photo: Daniel Kieffer.

54
Finalement (Nicole Lecavalier, Anne-Marie Provencher et Alice Ronfard).
Sur la photo: Anne-Marie Provencher, Nicole Lecavalier, Alice Ronfard.
Théâtre Expérimental de Montréal, juin 1977.
Photo: Gilbert Duclos.

55
Veille (Anne-Marie Alonzo).
Mise en scène: Mona Latif-Ghattas. Costumes et décors: Mérédith Caron. Éclairages: Carole Caouette et Isabelle Hodgson.
Sur la photo: Céline Beaudoin.
Auto/Graphe, juin 1981.
Photo: Anne de Guise.

55a
La Lumière blanche (texte et mise en scène: Pol Pelletier).
Scénographie: Ginette Noiseux. Éclairages: Michel Beaulieu et Ginette Noiseux.
Sur la photo: Suzanne Lemoine (B.C. Magruge), Pol Pelletier (Torregrossa).
Théâtre Expérimental des Femmes et Théâtre d'Aujourd'hui, août 1985.
Photo: Daniel Kieffer.

55b
Les Mille et Une Nuits (texte et mise en scène: Jean-Pierre Ronfard).
Maquillages: Mirko Buzolitch.
Sur la photo: Monique Spaziani (Shéhérazade).
Nouveau Théâtre Expérimental, été 1984.
Photo: Mirko Buzolitch.

55c
Les Paravents (Jean Genet).
Mise en scène: André Brassard. Décors: Martin Ferland. Costumes: Louise Jobin, assistée de Jacqueline Rousseau. Éclairages: Michel Beaulieu. Accessoires: Richard Lacroix, assisté de Marc-André Coulombe.
Sur la photo: Élise Guilbault (Leïla).
Théâtre du Nouveau Monde et Théâtre Français du Centre National des Arts, mars 1987.
Photo: Mirko Buzolitch.

56
Mademoiselle Autobody (Folles Alliées).
Mise en scène: Pierrette Robitaille. Décors et costumes: Geneviève Gauvreau, assistée de Caroline Drouin et de Diane Marier. Éclairages: Claude-André Roy.
Sur la photo: Agnès Maltais (Jeannine).
Folles Alliées, novembre 1985.
Photo: Daniel Kieffer.

56a
Où est Unica Zürn? (texte et mise en scène: Anne-Marie Provencher).
Décors et costumes: l'équipe de production.
Sur la photo: Olga Claing (Olga), Louise Laprade (la femme).
Nouveau Théâtre Expérimental, août 1980.
Photo: Anne de Guise.

57
Addolorata (Marco Micone).
Mise en scène: Lorraine Pintal. Scénographie: Claude Pelletier.
Sur la photo: France Desjarlais (Addolorata, 29 ans), Diane Lavallée (Addolorata, 19 ans).
Théâtre de la Manufacture, février 1983.
Photo: Jean-Guy Thibodeau.

58
Si les ils avaient des elles (création collective).
Décors et costumes: Claudette Castilloux. Éclairages: Pierre Labonté.
Sur la photo: Robert Dorris, Yves Séguin, Diane Chevalier, Marc Gendron, Jacinthe Potvin, Marie-Johanne Adam.
Théâtre de Carton, janvier 1979.
Photo: Luc Vallières.

58a
Au coeur d'la rumeur ou *Trop p'tit pour être grand, trop grand pour être p'tit* (création collective).
Sur la photo: Yves Séguin, Marc Gendron, Jacinthe Potvin, Marie-Johanne Adam.
Théâtre de Carton, septembre 1977.
Photo: Michel Brais.

58b
Pourquoi s'mett' tout nus? (création collective).
Mise en scène: Marie-Louise Dion. Décors: Claude Goyette. Costumes: Lise Bédard. Éclairages: Claude-André Roy.
Sur la photo: Louise Saint-Pierre, Lorraine Pintal, Daniel Simard.
Rallonge, janvier 1981.
Photo: Daniel Kieffer.

58c
Un M.S.A. pareil comme tout le monde (création collective).
Production: Philippe Bourgie, Marie-Josée Lanoix, Daniel Larose et Denis Larose.
Sur la photo: France Labrie, Pierre MacDuff, Danielle Proulx.
Organisation Ô, mars 1978.
Photo: Michel Brais.

59
E (cellule des femmes de l'Organisation Ô).
Animation et orchestration: Lorraine Hébert.
Éclairages: Josette Beaupré et Claude Pelletier.
Sur la photo: Johanne Fontaine.
Organisation Ô, août 1978.
Photo: Michel Brais.

59a
Pandora ou Mon p'tit papa (Louisette Dussault).
Mise en scène: Michèle Magny. Décors: Claude Goyette. Costumes: Mérédith Caron. Éclairages: Claude-André Roy.
Sur la photo: Louisette Dussault (Louise), Normand Lévesque (le Père).
Théâtre d'Aujourd'hui, mars 1987.
Photo: Daniel Kieffer.

59b
Othello (William Shakespeare; traduction: Jean-Louis Roux).
Mise en scène: Olivier Reichenbach. Décors: Claude Goyette. Costumes: Mérédith Caron. Éclairages: Michel Beaulieu. Accessoires: Jean-Guy Dion et Richard Lacroix.
Sur la photo: Gérard Poirier (Iago).
Théâtre du Nouveau Monde, mai 1986.
Photo: Robert Etcheverry.

59c
La Double Inconstance (Marivaux).
Mise en scène: Olivier Reichenbach. Décors: Claude Goyette. Costumes: Mérédith Caron. Éclairages: Michel Beaulieu.
Sur la photo: Guy Nadon (Arlequin).
Théâtre du Nouveau Monde, janvier 1987.
Photo: Robert Etcheverry.

60
Hosanna (Michel Tremblay).
Mise en scène: André Brassard.
Sur la photo: André Montmorency (Hosanna), Gilles Renaud (Cuirette).
Compagnie des Deux Chaises, août 1975 (reprise).
Photo publicitaire.
Photo: Daniel Kieffer.

61
La Contre-nature de Chrysippe Tanguay, écologiste (Michel Marc Bouchard).
Mise en scène: André Brassard. Décors et costumes: François Séguin. Éclairages: Claude-André Roy.
Sur la photo: Daniel Simard (Louis «Chrysippe» Tanguay).
Théâtre d'Aujourd'hui, novembre 1983.
Photo: Daniel Kieffer.

61a
Agence matrimoniale.
Sur la photo: Gilles Latulippe, Olivier Guimond.
Théâtre des Variétés, mai 1970.
Collection Théâtre des Variétés.
Photo: Robert.

61b
Un sur six (Ron Clark et Sam Bobrick; traduction: René Dionne).
Mise en scène: Jean Besré. Décors et éclairages: Michel Demers. Costumes: Pierre Perreault.
Sur la photo: Jean-Marie Lemieux (Benoît).
Compagnie Jean-Duceppe, décembre 1978.
Photo: François Renaud.

61c
Hosanna (Michel Tremblay).
Mise en scène: André Brassard. Décors: Paul Buissonneau. Costumes: François Laplante. Maquillages: Jacques Lafleur. Perruquier: Pierre David.
Sur la photo: Jean Archambault (Hosanna), Gilles Renaud (Cuirette).
Théâtre de Quat'Sous, mai 1973.
Photo: André Cornellier.

61d
Les Feluettes (Michel Marc Bouchard).
Mise en scène: André Brassard. Décors: Richard Lacroix. Costumes: Marc-André Coulombe. Éclairages: Claude Accolas.
Sur la photo: Denis Roy (Simon Doucet), Yves Jacques (la demoiselle Lydie-Anne de Rozier).
Théâtre Petit à Petit, septembre 1987.
Photo: Robert Laliberté.

62
Being at home with Claude (René-Daniel Dubois).
Mise en scène: Daniel Roussel. Scénographie: Michel Crête. Éclairages: Claude Accolas.
Sur la photo: Lothaire Bluteau (Lui: Yves).
Théâtre de Quat'Sous, novembre 1985.
Photo: Robert Laliberté.

62a
La Grandeur du geste et des passions.
Textes de Hans Heins Ewers (*l'Araignée*), Arnould Moreaux (*l'Anatomie artistique*) et Jean Rostand (*Bestiaire d'amour*).
Conception et mise en scène: Suzanne Lantagne.
Conception visuelle: Danielle Trépanier. Éclairages: Martin St-Onge.
Sur la photo: Alain Gravel, Micheline Parent.
Groupe Le Pool, octobre 1985.
Photo: Gilberto de Nobile.

63
L'Homme rouge (conception et interprétation: Gilles Maheu).
Accessoires: François Pilotte. Conception des éclairages: Pierre-René Goupil.
Sur la photo: Gilles Maheu.
Enfants du Paradis, avril 1982.
Photo: Yves Dubé.

63a
Till l'Espiègle (d'après *le Journal de Nijinsky*).
Conception et mise en scène: Gabriel Arcand et Teo Spychalski.
Sur la photo: Gabriel Arcand.
Groupe de la Veillée, avril 1982.
Photo: Richard Tougas.

64
Wouf Wouf (Yves Hébert Sauvageau; adaptation: André Montmorency).
Mise en scène: André Montmorency. Chorégraphie: Jack Ketchum. Décors: Michel Catudal. Costumes: François Laplante.
Sur la photo: Gilles Renaud (Père), Jacques Lavallée (Daniel).
Atelier de la Nouvelle Compagnie Théâtrale, octobre 1974.
Photo: André LeCoz.

64a
«Ils regardent autre chose».
Sur la photo: Jean Asselin, Denise Boulanger.
Omnibus, répertoire classique.
Photo: René de Carufel.

65
Deux Contes, parmi tant d'autres, pour une tribu perdue (René-Daniel Dubois).
Mise en scène: Jean Asselin. Scénographie, costumes et éclairages: Yvan Gaudin.
Sur la photo: Jean Asselin.
Omnibus, novembre 1985.
Photo: Gilberto de Nobile.

65a
Médée (Marthe Mercure, d'après Apollonius de Rhodes).
Mise en scène: Joseph Saint-Gelais.
Sur la photo: Luc Gingras, Marthe Mercure, Monique Richard, Yvan Leclerc.
Atelier-Studio Kaléidoscope, 1981.
Photo: Robert Etcheverry.

66
Alice (d'après Lewis Carroll).
Mise en scène: Jean Asselin. Conception visuelle: Andy Malcolm. Éclairages: Martin St-Onge.
Sur la photo: Denise Boulanger (Alice), André Fortin (le Chevalier blanc).
Omnibus, décembre 1982.
Photo: Davide Peterle.

67
Alice au pays des merveilles (Lewis Carroll; adaptation et mise en scène: Yvette Brind'Amour).
Décors: Hugo Wuetrich. Costumes: François Barbeau.
Scénographie et éclairages: Claude Girard.
Chorégraphie: Daniel Seillier. Marionnettes: Pierre Régimbald et Nicole Lapointe.
Sur la photo: Louise Turcot (Alice).
Théâtre du Rideau Vert, décembre 1971.
Photo: Guy Dubois.

68
Le Chat botté (Charles Perreault; adaptation: Jacques Létourneau).
Mise en scène: Maurice Falardeau.
Sur la photo: Micheline Gérin, Edgar Fruitier, Gaétan Labrèche, Gaétane Laniel.
Théâtre-Club (Théâtre des Mirlitons), novembre 1959.
Collection Monique Lepage.
Photo: André LeCoz.

69
Une lune entre deux maisons (Suzanne Lebeau).
Mise en scène: Gervais Gaudreault. Scénographie: Pierre Farand.
Sur la photo: Dominique Dupire-Farand (Taciturne).
Carrousel, 1982 (reprise).
Photo: Michel Fournier.

69a
Les Petits Pouvoirs (Suzanne Lebeau).
Mise en scène: Lorraine Pintal. Décors et éclairages: Michel Demers. Costumes: Pierre Farand.
Maquillages: Jacques Lee Pelletier.
Sur la photo: Danielle Lépine (Anne), France Labrie (la mère d'Anne), Alain Grégoire (le père de Mathieu), Gervais Gaudreault (Mathieu).
Carrousel, mars 1982.
Photo: Anne de Guise.

69b
Sortie de secours (Louise Bombardier, Marie-France Bruyère, François Camirand, Normand Canac-Marquis, René Richard Cyr, Jasmine Dubé, Louis-Dominique Lavigne, David Lonergan et Claude Poissant).
Mise en scène: René Richard Cyr et Claude Poissant.
Scénographie: Michel Demers. Mouvements: Dulcinée Langfelder. Éclairages: Laurent Bussières.
Sur la photo: Denis Roy (Michel), Benoît Lagrandeur (Marc), Louise Bombardier (Sylvie Beaudouin).
Théâtre Petit à Petit, octobre 1984.
Photo: Martin L'Abbé.

70
Pleurer pour rire (Marcel Sabourin).
Mise en scène: Daniel Meilleur. Scénographie et costumes: Daniel Castonguay. Maquillages: Jacques Lee Pelletier.
Sur la photo: Monique Rioux (Môa), France Mercille (Sôa), Daniel Meilleur (Tôa).
Théâtre de la Marmaille, décembre 1980.
Photo: Paul-Émile Rioux.

71
Je suis un ours! (Gilles Gauthier; adapté de l'album de Jorg Müller et Jorg Steiner, d'après Frank Tashlin).
Mise en scène: Serge Marois. Décors: Paul Livernois.
Costumes: Alain Tanguay.
Sur la photo: Marcel Leboeuf (l'ours).
Théâtre l'Arrière-Scène, octobre 1982.
Photo: André Cornellier.

71a
Le Voyage immobile.
Mise en scène: Gilles Maheu.
Enfants du Paradis, octobre 1978.
Photo: Michel Brais.

72
Les Irascibles (Léon Chancerel, d'après *la Demande en mariage* d'Anton Tchekhov).
Mise en scène: Père Émile Legault, c.s.c.
Sur la photo: Jean Coutu (Patouillet).
Compagnons de saint Laurent, avril 1945.
Archives des Pères Sainte-Croix de Montréal, APSCM-3Z59.
Photo: Père Laurier Péloquin.

73
Équation pour un homme actuel (Pierre Moretti).
Mise en scène: Rodrig Mathieu. Costumes, accessoires et maquillages: Gilles Lalonde.
Sur la photo: Wilma Ghezzi.
Saltimbanques, septembre 1967.
Collection *Jeu*.
Photo: Pierre Moretti.

73a
Figures (scénario: Jacques Crête; textes: Pierre-A. Larocque).
Mise en scène: Jacques Crête.
Sur la photo: Johanne Pellerin.
Eskabel, avril 1978.
Photographe inconnu.

73b
L'Usage des corps dans la Dame aux camélias (scénario et mise en scène: Pierre-A. Larocque).
Costumes: Marie-Louise Bussières.
Sur la photo: Sylvie Philibert.
Opéra-Fête, avril 1981.
Photo: Yves Dubé.

73c
Une histoire encore possible (d'après *la Panne*, de Friedrich Dürrenmatt; adaptation et mise en scène: Mario Boivin).
Sur la photo: Mario Boucher.
Tess Imaginaire, 1983-1984.
Photo: Ernesto Mortorello.

73d
Ubu roi (Alfred Jarry).
Mise en scène: Jean-Pierre Ronfard. Décors et éclairages: Marcel Gendreau. Costumes: Solange Legendre.
Sur la photo: Marcel Sabourin (Père Ubu).
Égrégore, novembre 1962.
Collection Françoise Berd.
Photo: Reynald Rompré.

73e
La Céleste Bicyclette (Roch Carrier).
Mise en scène et interprétation: Albert Millaire.
Scénographie: Marie-Josée Lanoix. Éclairages: Jean Benoît.
Sur la photo: Albert Millaire.
Café de la Place, décembre 1979.
Photo: Jean-Guy Thibodeau.

73f
Garden Party (création collective).
Sur la photo: Jean-Pierre Ronfard.
Théâtre Expérimental de Montréal, juin 1976.
Photo: Gilbert Duclos.

73g
Luna Hollywood (scénario, mise en scène et scénographie: Pierre-A. Larocque).
Éclairages: Yves Dubé. Costumes, maquillages et coiffures: Sergio.
Sur la photo: Jacinthe Dumaine.
Opéra-Fête, septembre 1983.
Photo: Yves Dubé.

73h
«Les armes de la séductrice», *Treize Tableaux* (création collective).
Sur la photo: Michelle Allen.
Nouveau Théâtre Expérimental, novembre 1979.
Photo: Hubert Fielden.

73i
Hamlet (William Shakespeare; traduction: Françoy Roberge).
Mise en scène: Alexandre Hausvater. Décors et accessoires: Mario Bouchard. Costumes: Denis Larose. Marionnettes: Yves Paquette.
Sur la photo: René Richard Cyr (Rosencrantz) et la marionnette Guildenstern.
Compagnie Théâtrale l'Échiquier et Théâtre de Quat'Sous, octobre 1982.
Photo: Francisco.

74
Qui est Dupressin? (Gilles Derome).
Mise en scène: André Pagé. Costumes: Collette Godard. Décors et éclairages: Marcel Gendreau. Masques: Guy Monarque. Mannequins: Françoise Berd.
Sur la photo: Roland Laroche, Marcel Sabourin.
Égrégore, 1961-1962.
Collection Françoise Berd.
Photographe inconnu.

75
T'es pas tannée, Jeanne d'Arc? (création collective).
Mise en scène: Raymond Cloutier. Costumes: Lise Bédard. Décors: Marie-Josée Lippens et Jean-Pierre Roy.
Sur la photo: Guy Thauvette, Paule Baillargeon.
Grand Cirque Ordinaire, juin 1970.
Photo: André LeCoz.

76
Caligula (Albert Camus).
Mise en scène: Robert Gadouas. Décors, costumes et éclairages: Alexis Chiriaeff.
Sur la photo: Robert Gadouas (Caligula).
Théâtre-Club, février 1962.
Collection Monique Lepage.
Photo: Stan Jolicoeur.

76a
Auguste Auguste, auguste (Pavel Kohout).
Mise en scène: Roland Laroche. Décors: Guy Neveu. Costumes: Solange Legendre. Éclairages: Gatien Payette.
Sur la photo: Louisette Dussault (Lulu), Marc Favreau (Auguste), Gilles Pelletier (le directeur), Ronald France (monsieur Loyal).
Nouvelle Compagnie Théâtrale, mars 1973.
Photo: André LeCoz.

76b
Irma la douce (Alexandre Breffort et Marguerite Monnot).
Mise en scène: Jean Gascon. Décors: Robert Prévost. Costumes: François Barbeau.
Sur la photo: Guylaine Guy (Irma la douce), Guy Hoffmann (l'agent), Pierre Thériault (Nestor le fripé).
Théâtre du Nouveau Monde, février 1963.
Archives publiques du Canada, Collection T.N.M., PA-070705.
Photo: Henri Paul.

76c
L'École des bouffons (Michel de Ghelderode).
Mise en scène: Michel Fréchette.
Sur la photo: Benoît Dagenais, Paul Savoie et les marionnettistes.
Théâtre de l'Avant-Pays et Comédie Nationale, février 1981.
Photo: Yves Dubé.

77
Le Seigneur des anneaux (d'après le roman de J.R. Tolkien; adaptation: Claire Ranger, Jacques Trudeau, André Viens et Pierre Voyer).
Mise en scène: André Viens. Conception visuelle: Michel Demers. Éclairages: Michel Beaulieu.
Sur la photo: un comédien et deux marionnettes du Théâtre Sans Fil.
Théâtre Sans Fil, Nouvelle Compagnie Théâtrale et Centre National des Arts, octobre 1985.
Photo: André Panneton.

78
La Passion de Juliette (Michelle Allen).
Mise en scène: Yves Desgagnés. Décors et costumes: Martin Ferland. Éclairages: Michel Beaulieu.
Sur la photo: Markita Boies (Esmée), Sophie Clément (Pauline Brisebois), Christiane Raymond (Dr Juliette Jutras).
Théâtre du Nouveau Monde, janvier 1984.
Photo: Robert Etcheverry.

78a
Knock ou le Triomphe de la médecine (Jules Romains).
Mise en scène: Roland Laroche. Décors: Guy Neveu. Costumes: François Barbeau.
Sur la photo: Gérard Poirier (Knock), Pierre Boucher (le docteur Parpalaid), Béatrice Picard (madame Parpalaid).
Théâtre du Rideau Vert, octobre 1972.
Photo: Guy Dubois.

79
Le Voyage dans le compartiment (Mario Boivin, d'après Bertolt Brecht).
Mise en scène: Mario Boivin.
Sur la photo: Nicole Lavallée, Benoît Geoffroy.
Tess Imaginaire, 1984.
Photo: Ernesto Mortorello.

80
Luna Hollywood (scénario, mise en scène et scénographie: Pierre-A. Larocque).
Éclairages: Yves Dubé. Costumes, maquillages et coiffures: Sergio.
Opéra-Fête, septembre 1983.
Photo: Yves Dubé.

80a
Api 2967 (Robert Gurik).
Mise en scène: Roland Laroche. Décors et costumes: Germain, assisté de Renée Noiseux-Gurik. Éclairages: Serge Levac.
Sur la photo: Ronald France (le Professeur), Kim Yaroshevskaya (E 3253).
Égrégore, avril 1967.
Photo: André LeCoz.

80b
Équation pour un homme actuel (Pierre Moretti).
Mise en scène: Rodrig Mathieu. Costumes, accessoires et maquillages: Gilles Lalonde.
Sur la photo: Carole Lord, Rodrig Mathieu.
Saltimbanques, septembre 1967.
Collection *Jeu*.
Photo: Pierre Moretti.

80c
À la recherche de M. (conception, mise en scène et interprétation: Jacques Bélanger et Marie-Hélène Letendre).
Sur la photo: Marie-Hélène Letendre (Maurine).
Théâtre Zoopsie, avril 1986.
Photo: Gilles Amyot.

81
Fiction (conception, texte et mise en scène: Bernar Hébert).
Scénographie: Marc-André Coulombe et Richard Lacroix. Production: Michel Ouellette.
Sur la photo: Sylvie Provost.
Agent Orange, septembre 1985.
Photo: Jacques Perron.

8la
Marat-Sade, deuxième version (Peter Weiss).
Mise en scène: Lorne Brass. Réalisation vidéographique: Howard Goldberg. Éclairages: Pierre-René Goupil.
Sur la photo: Gilles Maheu (Jean-Paul Marat). Sur les écrans: Gilles Maheu (Marat), Jean-Pierre Ronfard (Sade).
Carbone 14, avril 1984.
Photo: Yves Dubé.

82
Les objets parlent (conception, texte et mise en scène: Jean-Pierre Ronfard).
Décors et accessoires: Yvan Gaudin, assisté de Diane Coudé. Éclairages: Mousseau. Manipulateurs: Diane Coudé, Yvan Gaudin, Bénédicte Ronfard, Jean-Pierre Ronfard, Bernard Bergeron, Stéphane Roy et Martin St-Onge.
Nouveau Théâtre Expérimental, décembre 1986.
Photo: Yves Dubé.

82a
Irma la douce (Alexandre Breffort et Marguerite Monnot).
Mise en scène: Jean Gascon. Décors: Robert Prévost. Costumes: François Barbeau.
Sur la photo: Pierre Thériault (Nestor le fripé).
Théâtre du Nouveau Monde, février 1963.
Archives publiques du Canada, Collection T.N.M., PA-70716.
Photo: Henri Paul.

82b
La grandeur du geste et des passions.
Textes de Hans Heins Ewers (*l'Araignée*), Arnould Moreaux (*l'Anatomie artistique*) et Jean Rostand (*Bestiaire d'amour*).
Conception et mise en scène: Suzanne Lantagne.
Conception visuelle: Danielle Trépanier. Éclairages: Martin St-Onge.
Sur la photo: Danielle Trépanier.
Groupe Le Pool, octobre 1985.
Photo: Gilberto de Nobile.

82c
La Marelle (Suzanne Lebeau).
Mise en scène: Alain Grégoire. Décors, costumes et accessoires: Dominique l'Abbé. Éclairages: Luc Plamondon.
Sur la photo: Carl Béchard (l'Enfant).
Carrousel, octobre 1984.
Photo: Robert Etcheverry.

82d
Les Paysanneries (Claude-Henri Grignon).
Sur la photo: Hector Charland, [inconnu], Albert Duquesne, Amanda Alarie, Pierre Durand.
Bibliothèque nationale du Québec, Fonds Claude-Henri Grignon, 246/37/104.
Photo: Roger Bédard.

82e
Sketch burlesque.
Conception, scénario, décors et mise en scène: Jean Grimaldi.
Sur la photo: Paul Thériault, Carole Mercure.
Théâtre Canadien, vers 1949.
Collection Jean Grimaldi.
Photo: Pierre Sawaya.

83
Le Voyage de monsieur Perrichon (Eugène Labiche et Édouard Martin).
Mise en scène: Père Émile Legault, c.s.c. Décors et costumes: Robert Prévost.
Sur la photo: Yves Cousineau ou Marcel Houle (un employé de chemin de fer), Yves Létourneau (le commandant Mathieu), Louis de Santis (Joseph, domestique du commandant).
Compagnons de saint Laurent, octobre 1950.
Archives des Pères Sainte-Croix de Montréal, APSCM-3Z99.
Photo: Père Laurier Péloquin.

84
Ines Pérée et Inat Tendu (Réjean Ducharme).
Mise en scène: Claude Maher. Décors, costumes et éclairages: Michel Demers.
Sur la photo: Michèle Deslauriers (Aidez-moi Lussier-Voucru), France Desjarlais (Soeur Saint-New-York-des-Ronds-d'Eau), Paul Savoie (Inat Tendu), Louise Gamache (Ines Pérée), Francine Vernac (Pauline-Émilienne), Marc Grégoire (Pierre-Pierre-Pierre).
Nouvelle Compagnie Théâtrale, octobre 1976.
Photo: André LeCoz.

85
Ubu roi (Alfred Jarry).
Mise en scène: Jean-Pierre Ronfard. Décors et éclairages: Marcel Gendreau. Costumes: Solange Legendre.
Sur la photo: Marcel Sabourin (Père Ubu).
Égrégore, novembre 1962.
Collection Françoise Berd.
Photo: Reynald Rompré.

85a
La Lumière blanche (texte et mise en scène: Pol Pelletier).
Scénographie: Ginette Noiseux. Éclairages: Michel Beaulieu et Ginette Noiseux.
Sur la photo: Louise Laprade (Leude).
Théâtre Expérimental des Femmes et Théâtre d'Aujourd'hui, août 1985.
Photo: Daniel Kieffer.

85b
Les Belles-Soeurs (Michel Tremblay).
Mise en scène: André Brassard.
Sur la photo: Germaine Giroux (Germaine Lauzon).
Théâtre du Rideau Vert, mai 1971 (reprise).
Photo: Daniel Kieffer.

85c
Richard 3 (texte et mise en scène: Dennis O'Sullivan, d'après *Richard III* de William Shakespeare).
Sur la photo: Dennis O'Sullivan (Richard 3).
Théâtre Zoopsie, février 1985.
Photo: John Wassilco.

85d
Lear (Jean-Pierre Ronfard, d'après William Shakespeare).
Création collective.
Sur la photo: Jean-Pierre Ronfard (le roi Lear).
Théâtre Expérimental de Montréal, janvier 1977.
Photo: Gilbert Duclos.

86
Quichotte (Jean-Pierre Ronfard, d'après Cervantès).
Mise en scène: Jean-Pierre Ronfard. Décors: Guy Neveu. Costumes: Lydia Randolph, assistée de Marie-Hélène Gascon.
Sur la photo: Paul Savoie, Anne-Marie Provencher, Jean-Guy Viau, Suzanne Marier, Nicole Lecavalier, Jean-Claude Sawyer, Robert Gravel (Quichotte).
Jeunes Comédiens du T.N.M., janvier 1973.
Photo: André LeCoz.

87
Le Chemin du Roy (Françoise Loranger et Claude Levac).
Mise en scène: Paul Buissonneau. Scénographie: Buissonneau-Germain. Décors et costumes: Germain. Éclairages: Yves Dallaire.
Sur la photo: Joueurs: Guy Sanche, Jacques Galipeau, Patrick Peuvion, Paul Hébert, Lionel Villeneuve, Louis Aubert, Gilbert Chénier. Majorettes: Odette Gagnon, Rachel Cailhier, Hélène Loiselle, Monique Joly. Arbitres: Armand Labelle, Yvon Lelièvre, Raymond L'Heureux.
Égrégore, avril 1968.
Photo: André LeCoz.

87a
Ligue Nationale d'Improvisation (idée originale: Robert Gravel et Yvon Leduc).
Sur la photo: François Grenier (statisticien), Alain Déry (organiste), Janine Sutto, André Mélançon (entraîneurs), Muriel Dutil, Carole Faucher, Suzanne Champagne, Julie Vincent, Pierre Chagnon, Daniel Simard, Denis Bouchard, Claude Laroche, Robert Gravel, Louise Bourque, Marcel Leboeuf, Sylvie Legault (joueurs), Pierre Lavoie, Jean-Marc Lavergne, Yvan Ponton (arbitres).
L.N.I., 1982.
Photo: André Panneton.

88
It Must Be Sunday (conception et mise en scène: Rodrigue Proteau, assisté de Suzanne Lantagne).
Scénographie: Dominique Lemay.
Sur la photo: André Fortin, Suzanne Lantagne, Mylène Roy, Pascale Landry, Jacques Leblanc, Alain Gravel.
Groupe Le Pool, octobre 1986.
Photo: Gilberto de Nobile.

89
La Nuit des rois (William Shakespeare; traduction: Jean-Louis Roux).
Mise en scène: Jean-Louis Roux. Décors, costumes et maquillages: Alfred Pellan.
Sur la photo: Jacques Godin (Tobie de Larotte), Paul Hébert (André Leculot-du-Lac), Monique Miller (Viola), Victor Désy (Fabien).
(D'après les maquettes de la production des Compagnons de saint Laurent en 1946).
Théâtre du Nouveau Monde, décembre 1968.
Photo: André LeCoz.

89a
La Nuit des rois (William Shakespeare).
Mise en scène: Jan Doat. Décors: Jacques Pelletier. Costumes: Regor et Georges Vladar.
Sur la photo: Monique Lepage (Viola), Lionel Villeneuve (Antonio), Benoît Girard (Sir André), Gilles Pelletier (Sir Tobie).
Théâtre-Club, février 1956.
Collection Monique Lepage.
Photo: Henri Paul.

89b
La Nuit des rois (William Shakespeare).
Mise en scène: Père Émile Legault, c.s.c. Décors et costumes: Alfred Pellan.
Sur la photo: Denise Vachon (Olivia).
Compagnons de saint Laurent, mars 1946.
Archives des Pères Sainte-Croix de Montréal, APSCM-3Z95.
Photo: Père Laurier Péloquin.

89c
Alfred Pellan (au centre), peignant les costumes devant servir à un récital des élèves de madame Jean-Louis Audet, donné au Monument National en décembre 1944.
Sur la photo: les élèves de Pellan, ses acolytes dans la réalisation des costumes: Jean Léonard, Françoise Loranger-Simard, Jean Benoît, Mimi Parent, Cheribina Scarpaligia, et une des élèves de madame Audet: Estelle Piquette.
Collection Estelle Piquette-Gareau.
Photo: R. Carrière.

90
Colette et Pérusse (Robert Claing).
Mise en scène et éclairages: Jean-Pierre Ronfard.
Décors: Sylvie Melançon. Costumes: François Laplante.
Sur la photo: Pol Pelletier (la mère de Pérusse), Robert Gravel (Pérusse).
Théâtre de Quat'Sous, janvier 1975.
Photo: André Cornellier.

90a
La Saga des poules mouillées (Jovette Marchessault).
Mise en scène: Michelle Rossignol. Décors et éclairages: Louise Lemieux. Costumes: Mérédith Caron.
Sur la photo: Andrée Lachapelle (Anne Hébert: Tête Nuageuse), Amulette Garneau (Germaine Guèvremont: la Paroissienne), Monique Mercure (Gabrielle Roy: Petite Corneille), Charlotte Boisjoli (Laure Conan: l'Ancienne).
Théâtre du Nouveau Monde, avril 1981.
Photo: André LeCoz.

91
Un bateau que dieu sait qui avait monté et qui flottait comme il pouvait, c'est-à-dire mal (Alain Pontaut).
Mise en scène: Jean-Louis Roux. Décors: Mark Negin.
Sur la photo: Jacques Galipeau (le Capitaine).
Théâtre du Nouveau Monde, octobre 1971.
Photo: Daniel Kieffer.

91a
Gapi (Antonine Maillet).
Mise en scène: Yvette Brind'Amour. Décors et éclairages: Robert Prévost. Costumes: François Barbeau.
Sur la photo: Guy Provost (Sullivan), Gilles Pelletier (Gapi).
Théâtre du Rideau Vert, novembre 1977.
Photo: Guy Dubois.

91b
Fiction (conception, texte et mise en scène: Bernar Hébert).
Scénographie: Marc-André Coulombe et Richard Lacroix.
Sur la photo: Sylvie Provost.
Agent Orange, septembre 1985.
Photo: Jacques Perron.

91c
Le Songe d'une nuit d'été (William Shakespeare; traduction: Paul Spaak).
Mise en scène: Pierre Dagenais. Décors: Jacques Pelletier. Costumes: Marie-Laure Cabana.
Équipe, août 1945.
Collection Janine Sutto.
Photo: Henri Paul.

92
Montréal, série noire (conception et mise en scène: Dennis O'Sullivan).
Accessoires: Pierre Chapdelaine et assistants.
Costumes: Micheline Vaillancourt et assistants.
Décors: Éric Racine et assistants.
Sur la photo: Serge Lessard, Luce Pelletier, Régis Gauthier, Pierre-Charles Milette, Carole Faucher.
Théâtre Zoopsie, été 1986.
Photo: Mario Beaudet.

92a
Montréal, série noire (conception et mise en scène: Dennis O'Sullivan).
Accessoires: Pierre Chapdelaine et assistants.
Costumes: Micheline Vaillancourt et assistants.
Décors: Éric Racine et assistants.
Sur la photo: Pierre-Charles Milette, Luce Pelletier.
Théâtre Zoopsie, été 1986.
Photo: Mario Beaudet.

92b
À partir d'une métamorphose III (Bernar Hébert et Michel Ouellette).
Conception: Bernar Hébert. Réalisation: Bernar Hébert et Michel Ouellette.
Dans le métro de Montréal.
Eskabel, octobre 1981.
Photo: Yves Dubé.

92c
La Tour (Anne-Marie Provencher).
Effets, lumières, régie et construction: Carole Caouette. Environnement: Marie Décary et Anne-Marie Provencher.
Sur la photo: Anne-Marie Provencher.
Lieu: la tour d'Espace libre.
Nouveau Théâtre Expérimental, septembre 1986.
Photo: Gilbert Duclos.

92d
L'Usage des corps dans la Dame aux camélias (scénario et mise en scène: Pierre-A. Larocque).
Costumes: Marie-Louise Bussières.
Lieu: Musée des beaux-arts de Montréal.
Opéra-Fête, avril 1981.
Photo: Yves Dubé.

93
L'Échange (Paul Claudel).
Mise en scène: Jean Gascon. Décors: Jean-Paul Mousseau. Costumes: Solange Legendre.
Sur la photo: Françoise Faucher (Marthe), Jean-Louis Roux (Louis Laine).
Théâtre du Nouveau Monde, avril 1956.
Bibliothèque nationale du Québec, Fonds T.N.M.
Photo: Henri Paul.

94
La Médée d'Euripide (Marie Cardinal).
Mise en scène: Jean-Pierre Ronfard. Décors: Danièle Lévesque. Costumes: Ginette Noiseux. Éclairages: Michel Beaulieu. Accessoires: Richard Lacroix.
Sur la photo: Sophie Clément (Médée), Robert Gravel (Jason), Ginette Morin (le coryphée), Gisèle Schmidt (la nourrice), Danielle Bergeron, Marie-Andrée Corneille, Martine Beaulne, Marie Dupont, Christiane Proulx, Monique Richard, Brigitte Portelance (les femmes du choeur).
Théâtre du Nouveau Monde, novembre 1986.
Photo: Robert Etcheverry.

95
Les Célébrations (Michel Garneau).
Mise en scène: Suzanne Garceau.
Sur la photo: Jean Archambault (Paul-Émile), Marthe Mercure (Margo).
Atelier-Studio Kaléidoscope, été 1984.
Photo: Jean-Guy Thibodeau.

95a
Le Ruban (Georges Feydeau).
Mise en scène: André Brassard. Décors: François Seguin. Costumes: François Barbeau. Éclairages: Louis Sarraillon.
Sur la photo: Alain Zouvi (Dardillon), Françoise Faucher (madame Paginet), Louise Naubert (Simone), Luc Durand (Paginet), Élise Guilbault (Victoire), André Montmorency (monsieur Livergin), René Gagnon (Plumarel), Sylvie Ferlatte (madame Livergin).
Théâtre du Rideau Vert et Théâtre Français du Centre National des Arts, janvier 1986.
Photo: Guy Dubois.

95b
La Guerre, yes sir! (Roch Carrier).
Mise en scène: Albert Millaire. Décors, costumes et éclairages: Mark Negin.
Sur la photo: Monique Joly (Amélie), Jean Besré (Philibert), Edgar Fruitier (Joseph), Pascal Rollin (Arthur), Lucille Cousineau (Mère Corriveau), Jacques Galipeau (le Maigre), Denise Proulx (madame Joseph), Guy L'Écuyer (Arsène), Roger Garand (Père Corriveau).
Théâtre du Nouveau Monde, novembre 1970.
Photo: André LeCoz.

95c
Souvenirs de Brighton Beach (Neil Simon; traduction: Benoît Girard).
Mise en scène: Gilbert Lepage. Décors: Michel Crête.
Costumes: François Barbeau. Éclairages: Luc Prairie.
Accessoires: Jean-Guy Dion.
Sur la photo: Pascale Montpetit (Laurie), Rita Lafontaine (Kate), Raymond Bouchard (Jack), Patrice L'Écuyer (Stanley), Andrée Lachapelle (Blanche), Esther Lewis (Nora).
Compagnie Jean-Duceppe, septembre 1986.
Photo: André Panneton.

96
Garden Party (création collective).
Sur la photo: Robert Gravel, Jean-Guy Viau, Jacques Lavallée, Nicole Lecavalier, Anne-Marie Provencher, Pol Pelletier, Jean-Pierre Ronfard.
Théâtre Expérimental de Montréal, septembre 1976.
Photo: Gilbert Duclos.

97
Dans la jungle des villes (Bertolt Brecht; traduction: Lorraine Pintal et Pierre Voyer).
Mise en scène: Lorraine Pintal. Scénographie, costumes et éclairages: Michel Demers.
Sur la photo: René Gingras, Alain Fournier, Jean-Luc Denis, Pierre Chagnon.
Rallonge, octobre 1981.
Photo: Jean-Guy Thibodeau.

97a
Ultraviolet (texte et mise en scène: Pierre-A. Larocque).
Costumes: Nicole Clément, Richard Lalonde.
Éclairages: Marc Parent. Accessoires: Sylvie Boucher.
Sur la photo: Alain Dessureault, Jacinthe Dumaine.
Opéra-Fête, avril 1986.
Photo: Yves Dubé.

97b
Le Système magistère (conception, texte, mise en scène et projections: Yves Dubé).
Éclairages: Jean-Marie Voutron. Costumes: Nicole Clément, Richard Lalonde et Sergio. Aménagement de l'espace: Anne St-Denis.
Sur la photo: Miguel Fillion (le tuteur), Jacinthe Dumaine (Marie).
Opéra-Fête, novembre 1985.
Photo: Yves Dubé.

97c
Le Titanic (Jean-Pierre Ronfard).
Mise en scène: Gilles Maheu et Lorne Brass.
Scénographie: Carbone 14, supervisé par Luc Proulx.
Éclairages: Martin St-Onge. Costumes: Yvan Gaudin, assisté de Madeleine Tremblay.
Sur la photo: Jerry Snell (Ivan Strilic).
Carbone 14, mars 1986 (reprise).
Photo: Yves Dubé.

97d
Pain blanc (conception et mise en scène: Gilles Maheu).
Costumes, prothèses et maquillages: Francine Tanguay. Éclairages: Pierre-René Goupil.
Sur la photo: Lorne Brass, Jeannie Kranick, Dulcinée Langfelder, Roger Léger, Céline Paré, Maryse Pigeon, Richard Simas, Jerry Snell.
Carbone 14, janvier 1983.
Photo: Yves Dubé.

98
Vinci (conception, réalisation et interprétation: Robert Lepage).
Accessoires: Jean-François Couture.
Sur la photo: Robert Lepage (Philippe).
Théâtre de Quat'Sous, mars 1986.
Photo: Robert Laliberté.

98a
La Médée d'Euripide (Marie Cardinal).
Mise en scène: Jean-Pierre Ronfard. Décors: Danièle Lévesque. Costumes: Ginette Noiseux. Éclairages: Michel Beaulieu.
Sur la photo: Gisèle Schmidt (la nourrice), Marie Dupont, Danielle Bergeron, Marie-Andrée Corneille, Brigitte Portelance, Christiane Proulx, Martine Beaulne, Monique Richard (les femmes du choeur), Ginette Morin (le coryphée).
Théâtre du Nouveau Monde, novembre 1986.
Photo: Robert Etcheverry.

98b
Les Belles-Soeurs (Michel Tremblay).
Mise en scène: André Brassard.
Théâtre du Rideau Vert, mai 1971 (reprise).
Photo: Daniel Kieffer.

99
L'Idiot (scènes choisies de *l'Idiot* de Dostoïevski).
Choix des textes et mise en scène: Teo Spychalski.
Sur la photo: Gabriel Arcand (le prince Mychkine), Claude Lemieux (Rogojine).
Groupe de la Veillée, avril 1983.
Photo: Robert Etcheverry.

100
La Trilogie des dragons, deuxième étape (Marie Brassard, Jean Casault, Lorraine Côté, Marie Gignac, Robert Lepage et Marie Michaud).
Mise en scène: Robert Lepage. Scénographie: Jean-François Couture et Gilles Dubé. Éclairages: Louis-Marie Lavoie et Robert Lepage.
Sur la photo: Robert Bellefeuille (Pierre).
Théâtre Repère, janvier 1987.
Photo: Daniel Kieffer.

INDEX DES PHOTOGRAPHES

Note: Les renvois correspondent aux numéros des photographies et à la liste des crédits des productions. Un chiffre qui n'est pas suivi d'une lettre indique qu'il s'agit d'une des cent photos de l'exposition.

INDEX DES COMPAGNIES ET DES LIEUX

INDEX DES TITRES

Achevé d'imprimer en mars 1988
sur les presses de l'Imprimerie Gagné,
Louiseville (Québec)